#홈스쿨링
#혼자 공부하기

똑똑한 하루 한자

#기초 한자부터 #실생활 속 한자어까지 #똑똑하게 어휘력 키우기

똑똑한 하루 한자
시리즈 구성 (예비초~4단계)

우리 아이 한자 학습 첫걸음

8급

1단계 A, B, C

7급 II

2단계 A, B, C

7급

3단계 A, B, C

6급 II

4단계 A, B, C

4주 완성 스케줄표

2단계 B

★ 공부한 날짜를 써 봐!

1주

1일 8~17쪽	2일 18~23쪽	3일 24~29쪽	4일 30~35쪽	5일 36~41쪽	특강 42~49쪽
가족 한자 家 집 가	가족 한자 父 아버지 부	가족 한자 母 어머니 모	가족 한자 子 아들 자	가족 한자 女 여자 녀	
월 일	월 일	월 일	월 일	월 일	월 일

힘을 내! 넌 최고야!

2주

1일 50~59쪽	2일 60~65쪽	3일 66~71쪽	4일 72~77쪽	5일 78~83쪽	특강 84~91쪽
가족 한자 兄 형 형	가족 한자 弟 아우 제	가족 한자 姓 성 성	가족 한자 名 이름 명	가족 한자 孝 효도 효	
월 일	월 일	월 일	월 일	월 일	월 일

배운 내용은 꼭꼭 복습하기!

3주

1일 92~101쪽	2일 102~107쪽	3일 108~113쪽	4일 114~119쪽	5일 120~125쪽	특강 126~133쪽
사람 한자 男 사내 남	사람 한자 工 장인 공	사람 한자 手 손 수	사람 한자 足 발 족	사람 한자 自 스스로 자	
월 일	월 일	월 일	월 일	월 일	월 일

마지막 4주 공부 중. 감동이야!

4주

1일 134~143쪽	2일 144~149쪽	3일 150~155쪽	4일 156~161쪽	5일 162~167쪽	특강 168~175쪽
사람 한자 氣 기운 기	사람 한자 力 힘 력	행동 한자 生 날 생	행동 한자 活 살 활	행동 한자 動 움직일 동	
월 일	월 일	월 일	월 일	월 일	월 일

Chunjae
Makes
Chunjae

▼

똑똑한 하루 한자 2단계 B

편집개발	고미경, 정병수
디자인총괄	김희정
표지디자인	윤순미
내지디자인	박희춘, 조유정
삽화	강일석, 권순화, 온온, 이근하, 정윤희, 홍선미
제작	황성진, 조규영

발행일	2021년 9월 15일 초판 2022년 3월 15일 2쇄
발행인	(주)천재교육
주소	서울시 금천구 가산로9길 54
신고번호	제2001-000018호
고객센터	1577-0902

※ 정답 분실 시에는 천재교육 교재 홈페이지에서 내려받으세요.

※ KC 마크는 이 제품이 공통안전기준에 적합하였음을 의미합니다.

※ 주의

책 모서리에 다칠 수 있으니 주의하시기 바랍니다.

부주의로 인한 사고의 경우 책임지지 않습니다.

8세 미만의 어린이는 부모님의 관리가 필요합니다.

똑똑한

하루 한자

2단계 B

7급Ⅱ 기초2

똑똑한 하루 한자 2단계-B

구성과 활용 방법

한 주 미리보기

미리보기 활동

미리보기 만화

일일 학습

이야기를 읽으며 오늘 배울 한자를 만나요.

QR 코드 속 영상을 보며 한자를 따라 써요.

재미있는 만화로 생활 속 한자어를 익혀요.

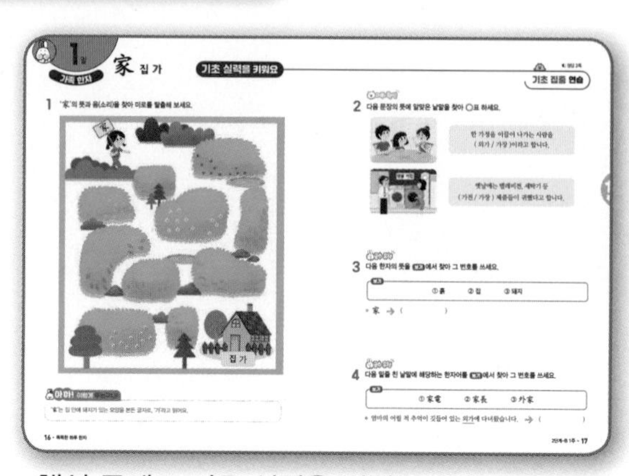

핵심 문제로 기초 실력을 키워요.

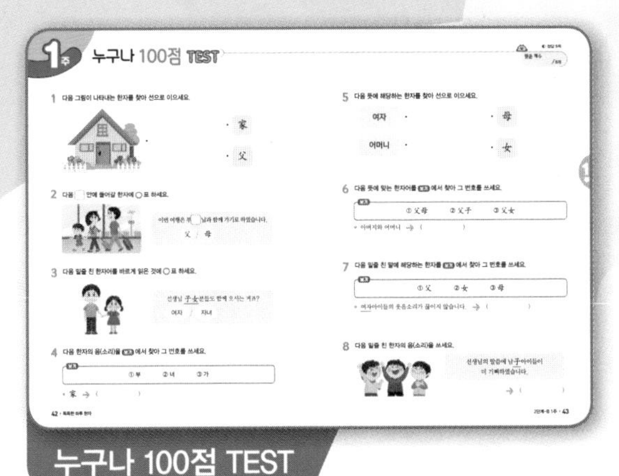

한 주 마무리

문제를 풀며 한 주 동안
배운 내용을 확인해요.

특강

창의・융합・코딩 문제로
재미는 솔솔, 사고력은 쑥쑥!

부록

한자 카드로 더욱
재미있게 공부해요!

똑똑한 하루 한자

공부할 내용

1주 가족 한자

일	한자	한자어	쪽수
1일	家 집 가	家電, 外家, 家長	12
2일	父 아버지 부	父母, 父子, 父女	18
3일	母 어머니 모	母校, 學父母, 母女	24
4일	子 아들 자	王子, 子女, 男子	30
5일	女 여자 녀	女軍, 少女, 女子	36
특강	누구나 100점 TEST & 생각을 키워요		42

2주 가족 한자

일	한자	한자어	쪽수
1일	兄 형 형	兄夫, 親兄, 兄弟間	54
2일	弟 아우 제	兄弟, 弟子, 子弟	60
3일	姓 성 성	百姓, 姓氏, 姓名	66
4일	名 이름 명	名山, 一名, 名物	72
5일	孝 효도 효	孝女, 孝心, 不孝	78
특강	누구나 100점 TEST & 생각을 키워요		84

3주 사람 한자

4주 사람/행동 한자

7급Ⅱ 배정 한자 총 100자

□은 2단계-B 학습 한자입니다.

家	間	江	車	工	空
집 가	사이 간	강 강	수레 거/차	장인 공	빌 공
敎	校	九	國	軍	金
가르칠 교	학교 교	아홉 구	나라 국	군사 군	쇠 금/성 김
氣	記	男	南	內	女
기운 기	기록할 기	사내 남	남녘 남	안 내	여자 녀
年	農	答	大	道	動
해 년	농사 농	대답 답	큰 대	길 도	움직일 동
東	力	六	立	萬	每
동녘 동	힘 력	여섯 륙	설 립	일만 만	매양 매
名	母	木	門	物	民
이름 명	어머니 모	나무 목	문 문	물건 물	백성 민
方	白	父	北	不	事
모 방	흰 백	아버지 부	북녘 북 /달아날 배	아닐 불	일 사
四	山	三	上	生	西
넉 사	메 산	석 삼	윗 상	날 생	서녘 서
先	姓	世	小	手	水
먼저 선	성 성	인간 세	작을 소	손 수	물 수
市	時	食	室	十	安
저자 시	때 시	밥/먹을 식	집 실	열 십	편안 안
午	五	王	外	右	月
낮 오	다섯 오	임금 왕	바깥 외	오른 우	달 월

二	人	一	日	子	自
두 이	사람 인	한 일	날 일	아들 자	스스로 자
場	長	全	前	電	正
마당 장	긴 장	온전 전	앞 전	번개 전	바를 정
弟	足	左	中	直	青
아우 제	발 족	왼 좌	가운데 중	곧을 직	푸를 청
寸	七	土	八	平	下
마디 촌	일곱 칠	흙 토	여덟 팔	평평할 평	아래 하
學	漢	韓	海	兄	話
배울 학	한수/한나라 한	한국/나라 한	바다 해	형 형	말씀 화
火	活	孝	後		
불 화	살 활	효도 효	뒤 후		

함께 공부할 친구들

주 미리보기 에서 만나요!

본문 에서 만나요!

한자가 궁금해!
호기심 대장 바름

한자를 색칠해 봐!
마법 판다 팬돌이

개구쟁이지만 마음
따뜻한 친구 벼리

씩씩하고
쾌활한 소녀 다은

무엇이든 대답하는
척척박사 노을

1주에는 무엇을 공부할까? ①

이번 주에는 어떤 한자를 공부할까?

1일 家 집 가
2일 父 아버지 부
3일 母 어머니 모
4일 子 아들 자
5일 女 여자 녀

한자를 색칠해 봐!
母

한글로 바뀌었다!
부모님과 세 자녀

그런데 부모님과 세 자녀라고? 그림 속의 자녀는 너와 네 동생뿐인걸?

어허, 무슨 그런 섭섭한 소리를! 강아지 멍순이도 엄연히 내 동생이라고!

1주

1주에는 무엇을 공부할까? ②

✪ 이번 주에 배울 한자들이 그림 속에 숨어 있어요. 보기를 참고해서 한자를 찾아보세요.

보기

家 집 가　父 아버지 부　母 어머니 모　子 아들 자　女 여자 녀

◐ 정답 2쪽

1 주

家 집 가

다음 글을 읽고, 오늘 배울 한자를 확인해 보세요.

눈앞에 푸릇푸릇 펼쳐진 산과 들 사이로
옹기종기 모여 있는 마을 시골집[家].
엄마가 어릴 적 살았다는 외가(家)에 왔어요.
동네 어귀까지 마중 나오신
할머니 할아버지가 반갑게 맞아 주셨어요!
오늘 배울 한자
家
집 가

집 가

옛날, 집 안에서 돼지[豕]를 기른 데서 만들어진 글자로, 집을 뜻해요.

연하게 쓰인 한자를 따라 써 본 후, 빈칸에 바르게 쓰세요.

家	家	家	家
집 가	집 가	집 가	집 가
집 가	집 가	집 가	집 가

家 집 가

한자어를 익혀요

외가(外家)에 다녀오느라 빨래며
청소며 집안일이 산더미인데…….

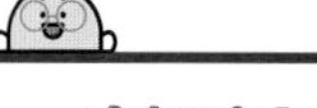

한자어 활용

'家(집 가)'가 들어간 한자어를 알아봅시다.

한글로 써 보아요.

한자로 써 보아요.

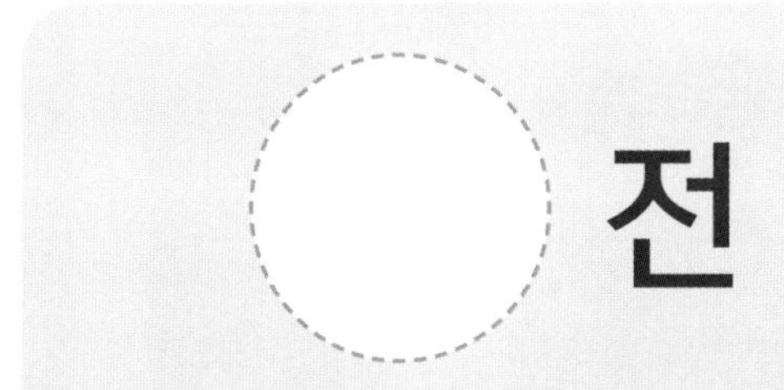

가정에서 사용하는 전기 제품

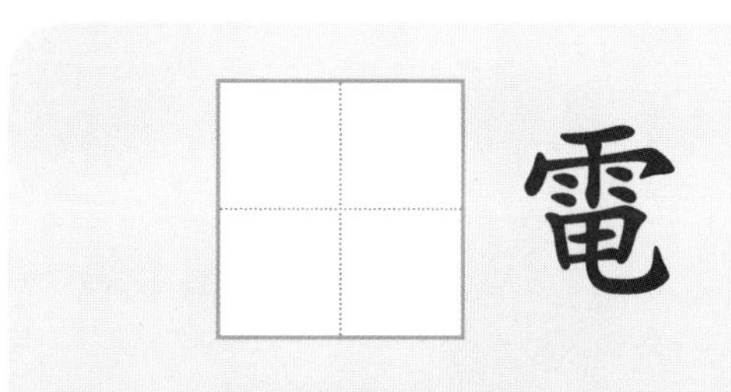

번개 **전**

어머니의 친정

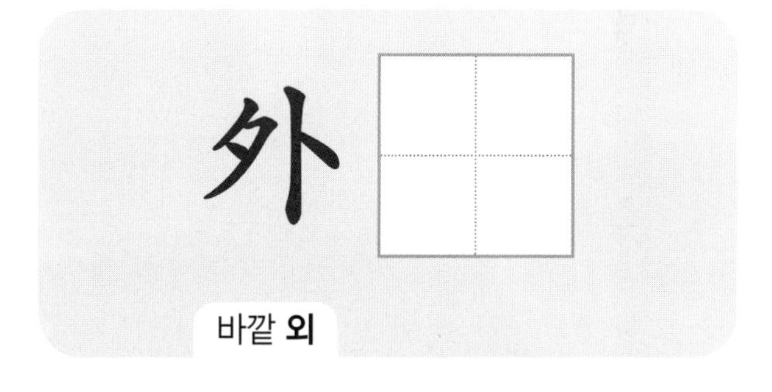

바깥 **외**

한 가정을 이끌어 나가는 사람

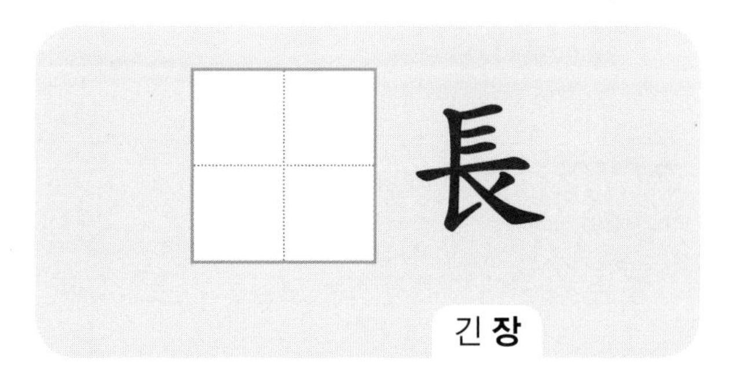

긴 **장**

1주

家 집 가

기초 실력을 키워요

1 '家'의 뜻과 음(소리)을 찾아 미로를 탈출해 보세요.

아하! 이렇게 푸는구나!

'家'는 집 안에 돼지가 있는 모양을 본뜬 글자로, '가'라고 읽어요.

어휘 확인

2 다음 문장의 뜻에 알맞은 낱말을 찾아 ○표 하세요.

한 가정을 이끌어 나가는 사람을
(외가 / 가장)이라고 합니다.

옛날에는 텔레비전, 세탁기 등
(가전 / 가장) 제품들이 귀했다고 합니다.

급수 유형

3 다음 한자의 뜻을 보기 에서 찾아 그 번호를 쓰세요.

보기
① 흙　　② 집　　③ 돼지

- 家 → (　　　　　)

급수 유형

4 다음 밑줄 친 낱말에 해당하는 한자어를 보기 에서 찾아 그 번호를 쓰세요.

보기
① 家電　　② 家長　　③ 外家

- 엄마의 어릴 적 추억이 깃들어 있는 외가에 다녀왔습니다. → (　　　　　)

父 아버지 부

다음 글을 읽고, 오늘 배울 한자를 확인해 보세요.

오늘은 어머니 아버지[父]가 학교에 오셨어요.
부(父)모 참여 수업을 하거든요.
선생님 질문에 저는 손을 번쩍 들고 큰 소리로 대답합니다.
아버지[父]가 뒤에서 흐뭇하게 저를 바라보고 계실 게 분명하니까요.

공부한 날 月 日

아버지 부

손에 막대기를 든 모습을 나타낸 글자로, 아버지를 뜻해요.

연하게 쓰인 한자를 따라 써 본 후, 빈칸에 바르게 쓰세요.

父	父	父	父
아버지 부	아버지 부	아버지 부	아버지 부
아버지 부	아버지 부	아버지 부	아버지 부

父 아버지 부

한자어를 익혀요

'父(아버지 부)'가 들어간 한자어를 알아봅시다.

부
한글로 써 보아요.

父
한자로 써 보아요.

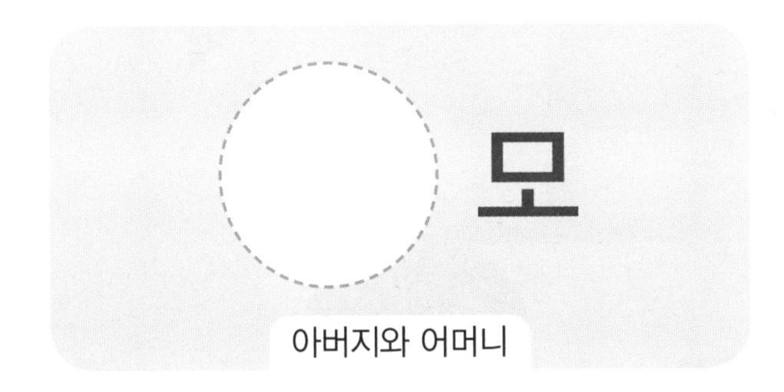

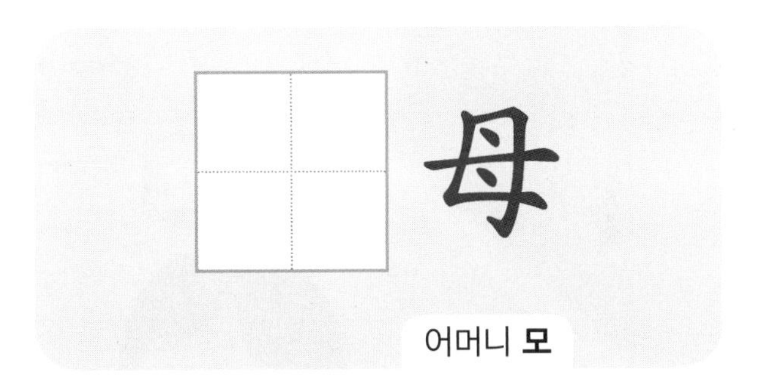

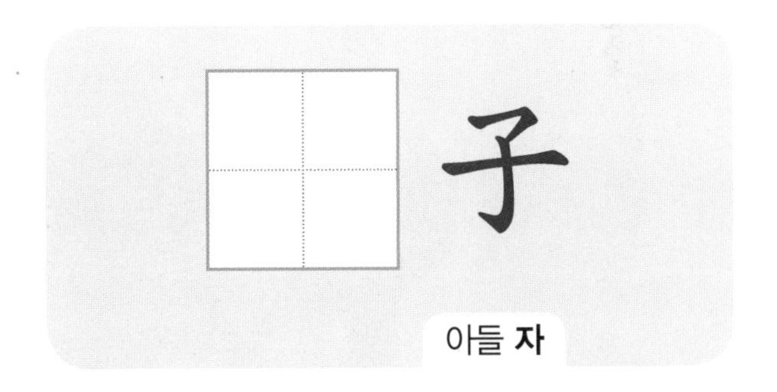

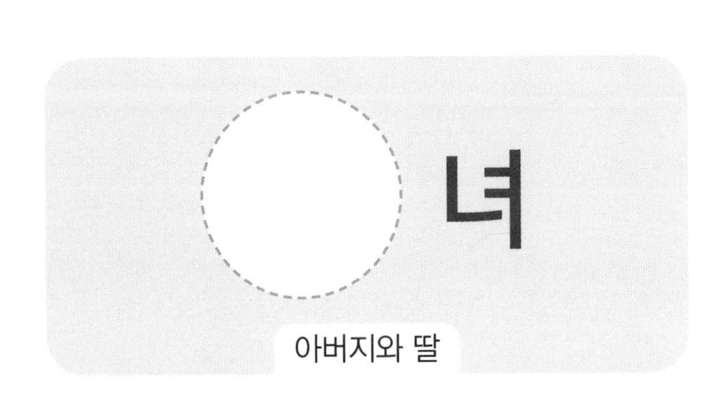

'女(여자 녀)'는
'딸'이라는 뜻도
있어요.
女
여자 녀

父 아버지 부

기초 실력을 키워요

1 그림 속에 숨겨진 한자를 찾아 그 음(소리)을 쓰세요.

아하! 이렇게 푸는구나!

'家(가)'는 집, '父(부)'는 아버지를 뜻하는 글자예요. 한자의 뜻과 관련 있는 그림 속에서 한자를 찾아보세요.

어휘 확인

2 ◯ 에 알맞은 글자를 넣어 낱말을 만드세요.

아버지와 어머니

아버지와 아들

아버지와 딸

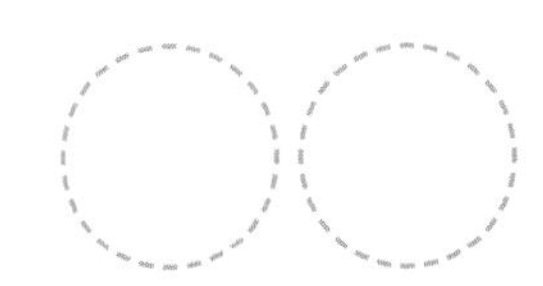

3 보기 와 같이 다음 한자의 뜻과 음(소리)을 쓰세요.

보기

家 → 집 가

- 父 → (　　　　　　)

급수 유형

4 다음 밑줄 친 말에 해당하는 한자를 보기 에서 찾아 그 번호를 쓰세요.

보기

① 母　　② 家　　③ 父

- <u>아버지</u>는 지금 집에 계십니다. → (　　　　　　)

母 어머니 모

다음 글을 읽고, 오늘 배울 한자를 확인해 보세요.

어머니[母]는 매주 학교에 오셔서 자원봉사 활동으로
우리들의 안전과 환경을 지켜 주십니다.
사실 우리 학교는 어머니의 모(母)교이기도 합니다.
어머니가 다니셨던 학교에 나도 같이 다니고 있다고
생각하면 저절로 가슴이 뿌듯해집니다.

공부한 날 月 日

어머니 모

아이에게 젖을 먹이는 여자를 본뜬 글자로, 어머니를 뜻해요.

연하게 쓰인 한자를 따라 써 본 후, 빈칸에 바르게 쓰세요.

母	母	母	母
어머니 모	어머니 모	어머니 모	어머니 모
어머니 모	어머니 모	어머니 모	어머니 모

母 어머니 모

한자어를 익혀요

엄마의 모교(母校)에 우리 다은이가 다니다니, 매번 등교할 때마다 신기하다니까.

엄마는 학교 다닐 때 어땠어요?
엄마는 아주 모범생이었지.

어머, 선생님! 잘 지내셨어요?
아니, 혜영이가 벌써 학부모(學父母)가 된 게야?

모녀(母女)가 같은 학교에 다니다니, 신기하네.

네 엄마가 수업 시간마다 어찌나 졸던지…….

서, 선생님!
하하…
오호호호~
크크크

‘母(어머니 모)’가 들어간 한자어를 알아봅시다.

한글로 써 보아요.

한자로 써 보아요.

자기가 다니거나 졸업한 학교

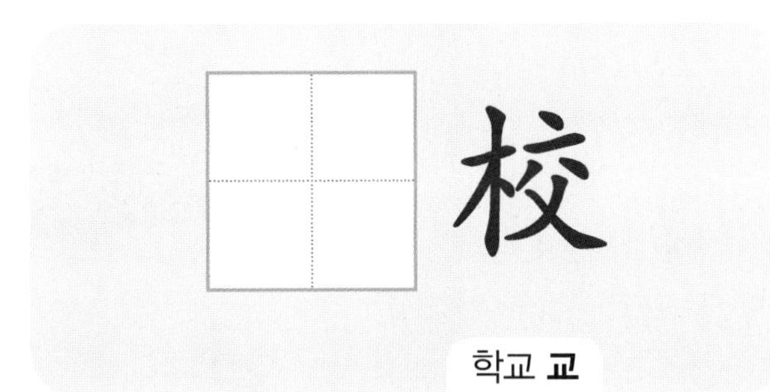

학교 **교**

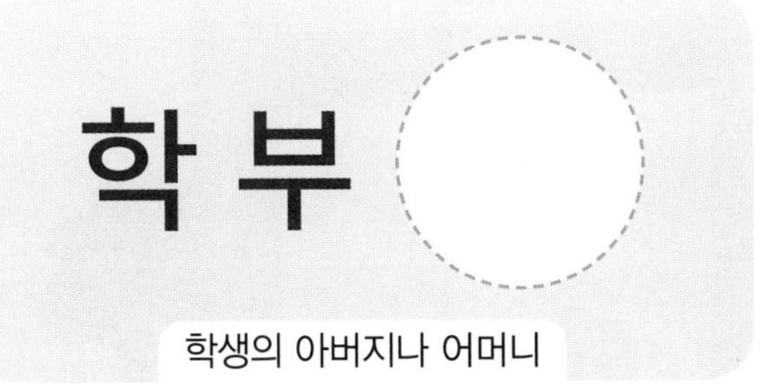

학생의 아버지나 어머니

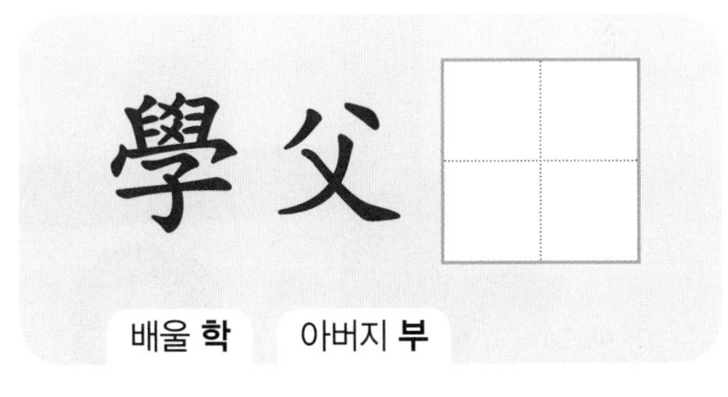

배울 **학** 아버지 **부**

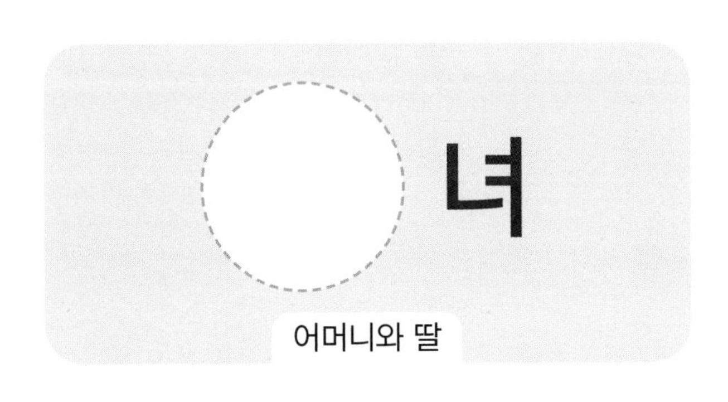

어머니와 딸

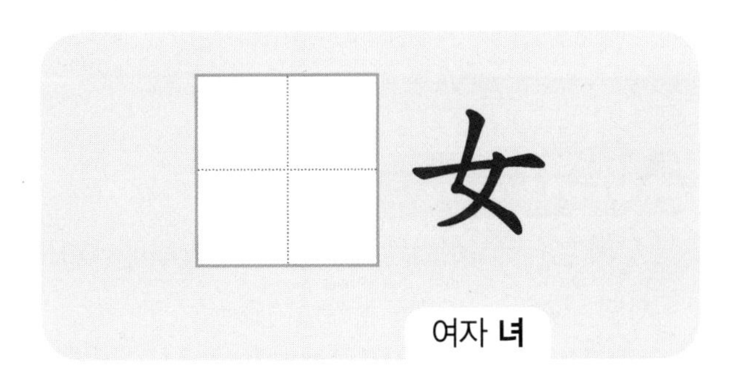

여자 **녀**

母 어머니 모

기초 실력을 키워요

1 사다리를 타고 내려가 마주한 한자의 음(소리)을 쓰세요.

아하! 이렇게 푸는구나!

'母(모)'는 어머니, '家(가)'는 집, '父(부)'는 아버지라는 뜻을 가지고 있어요. 사다리 타기를 하면서 각 한자의 뜻과 음(소리)을 살펴보세요.

어휘 확인

2 다음 뜻에 해당하는 낱말을 찾아 선으로 이으세요.

어머니와 딸 • • 학부모

학생의 아버지나 어머니 • • 모녀

급수 유형

3 다음 밑줄 친 한자의 음(소리)을 쓰세요.

어머니는 오래 전 졸업한 <u>母</u>교에서 봉사 활동을 하십니다. → (　　　　)

급수 유형

4 다음 뜻에 알맞은 한자를 보기 에서 찾아 그 번호를 쓰세요.

보기
① 家　② 父　③ 母

• 어머니 → (　　　　)

子 아들 자

다음 글을 읽고, 오늘 배울 한자를 확인해 보세요.

인어 공주는 폭풍우와 거센 파도 속에서
왕자(子)님을 구했습니다.
하지만 왕자(子)님과의 사랑을 이루지 못한 채
바다 마녀의 저주에 빠져
물거품이 되어 사라졌습니다.
오늘 배울 한자
子
아들 자

공부한 날 月 日

아들 자

어린아이가 두 팔을 벌리고 있는 모습을 본뜬 글자로, 아들을 뜻해요.

1주

연하게 쓰인 한자를 따라 써 본 후, 빈칸에 바르게 쓰세요.

子	子	子	子
아들 자	아들 자	아들 자	아들 자
아들 자	아들 자	아들 자	아들 자

子 아들 자

한자어를 익혀요

왕자(王子)님을 차마 해칠 수 없었던 인어 공주는 결국 물거품이 되어 사라지고 말았습니다.

인어 공주도 분명 왕자님과 결혼해서 자녀(子女)도 낳고 행복하게 살고 싶었을 텐데…….

너무 슬프다. 그렇지?
훌쩍

뭐야, 너도 우는 거야?

눈물은 남자(男子) 여자를 가리지 않는 법이야.
팽~
삐질

'子(아들 자)'가 들어간 한자어를 알아봅시다.

한글로 써 보아요.

한자로 써 보아요.

임금의 아들

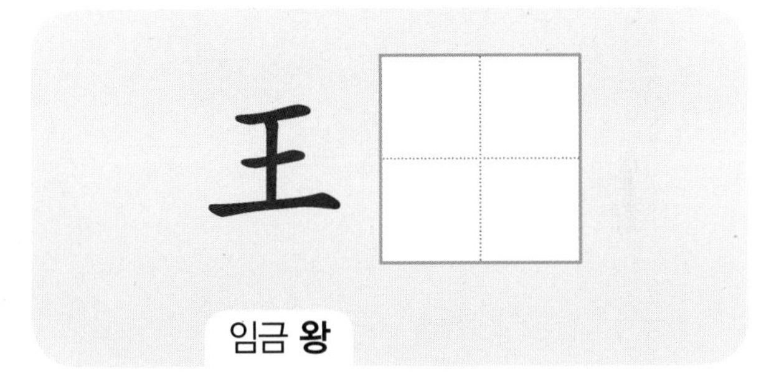

임금 **왕**

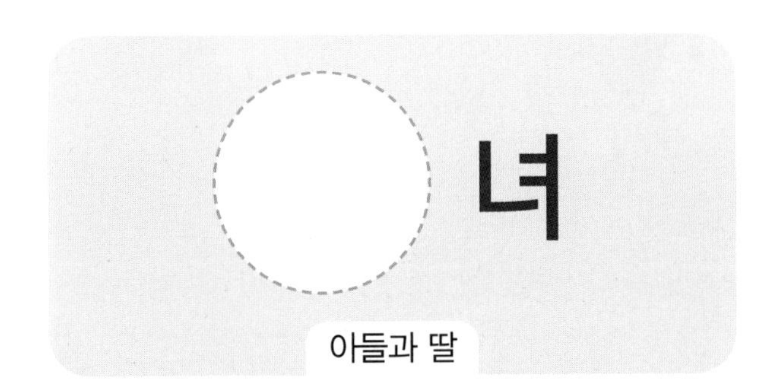

아들과 딸

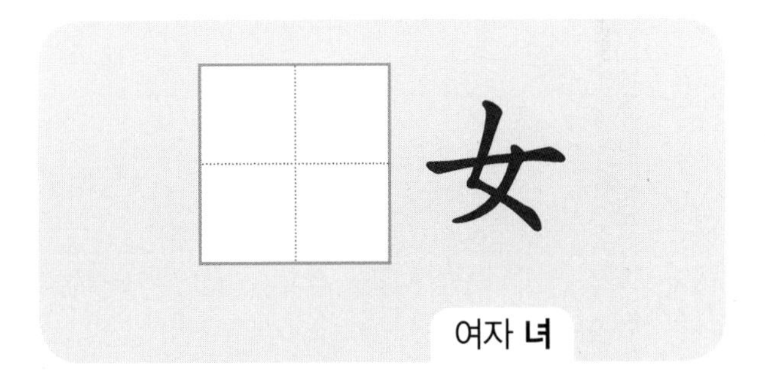

여자 **녀**

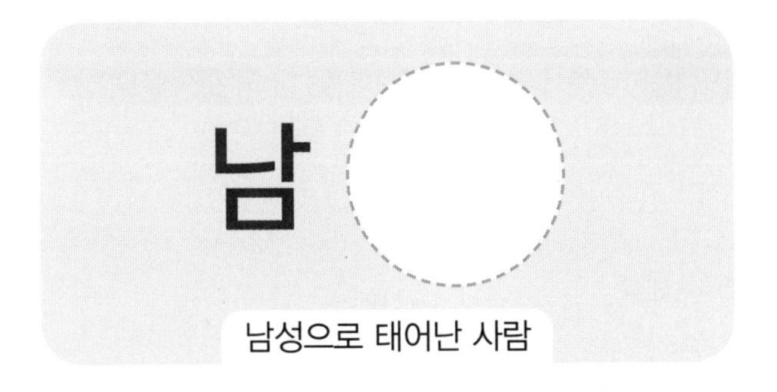

남성으로 태어난 사람

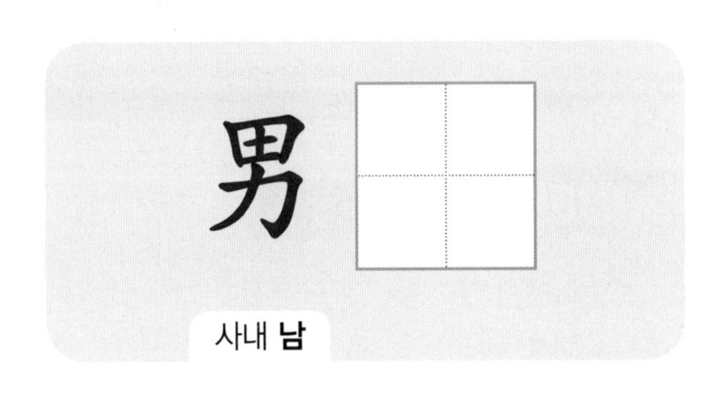

사내 **남**

1주

子 아들 자

기초 실력을 키워요

1 그림 속에 숨어 있는 보기 의 한자를 찾아 ○표 하세요.

보기

父 母 子

아하! 이렇게 푸는구나!

그림 속에서 '父', '母', '子'의 뜻을 가지고 있는 사람을 찾아보세요.

2 ( )에 알맞은 글자를 넣어 낱말을 만드세요.

• 임금의 아들: 왕 ( )

• 아들과 딸: ( ) 녀

급수 유형

3 다음 한자의 음(소리)을 보기 에서 찾아 그 번호를 쓰세요.

보기

① 부 ② 모 ③ 자

• 子 → (   )

급수 유형

4 다음 뜻에 맞는 한자어를 보기 에서 찾아 그 번호를 쓰세요.

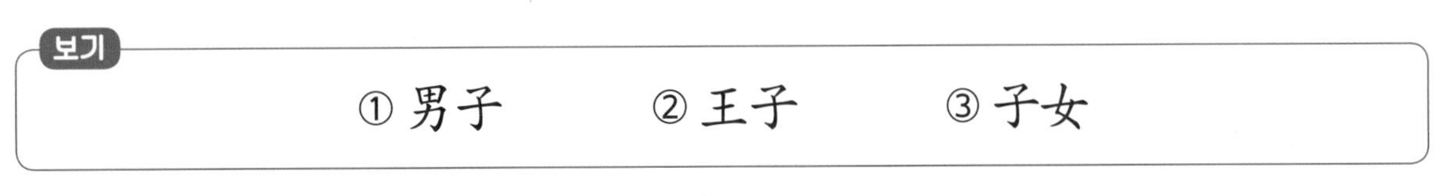
보기

① 男子 ② 王子 ③ 子女

• 남성으로 태어난 사람 → (   )

女 여자 녀

다음 글을 읽고, 오늘 배울 한자를 확인해 보세요.

훌륭한 여(女)인들의 이야기를 읽으며
곰곰이 생각해 봅니다.
평범한 여자[女]로서 침략군과 맞서 싸워
나라를 구한 잔 다르크!
아, 어쩌면 그렇게 용감할까요?

공부한 날 月 日

여자 녀

무릎을 꿇고 앉아 있는 여자의 모습을 본뜬 글자로, 여자 또는 딸을 뜻해요.

1주

연하게 쓰인 한자를 따라 써 본 후, 빈칸에 바르게 쓰세요.

女	女	女	女
여자 녀	여자 녀	여자 녀	여자 녀
여자 녀	여자 녀	여자 녀	여자 녀

女 여자 녀

한자어를 익혀요

난 커서 여군(女軍)이 되기로 결심했어.
얼마 전까지는 화가가 되겠다며?

어제 책에서, 전쟁터에 나가 적과 맞서 싸워 프랑스를 구한 소녀(少女) 잔 다르크의 이야기를 읽었거든.

여자(女子)라고 얕보다간 큰코다친다 이거야!
척

저를 반장으로 뽑아 주십시오!
여군이라…….
따라올 테면 따라와 봣!
타앗

척
척
우리나라의 미래는 너에게 맡긴다, 친구!
음!!!

'女(여자 녀)'가 들어간 한자어를 알아봅시다.

한글로 써 보아요.

한자로 써 보아요.

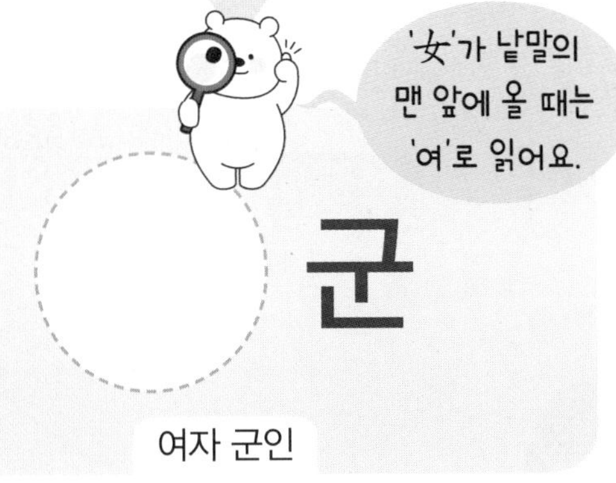

'女'가 낱말의
맨 앞에 올 때는
'여'로 읽어요.
군

여자 군인

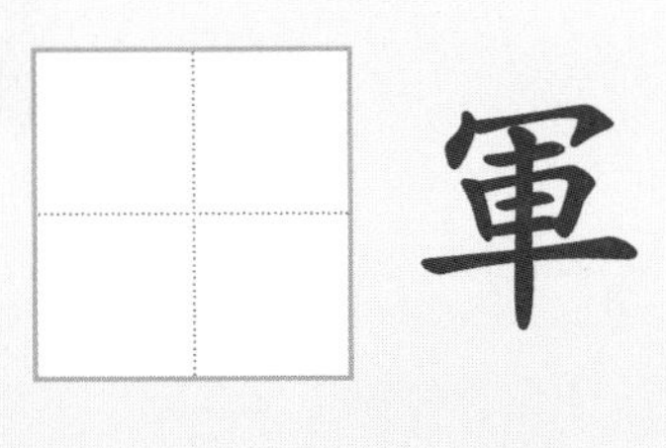

군사 **군**

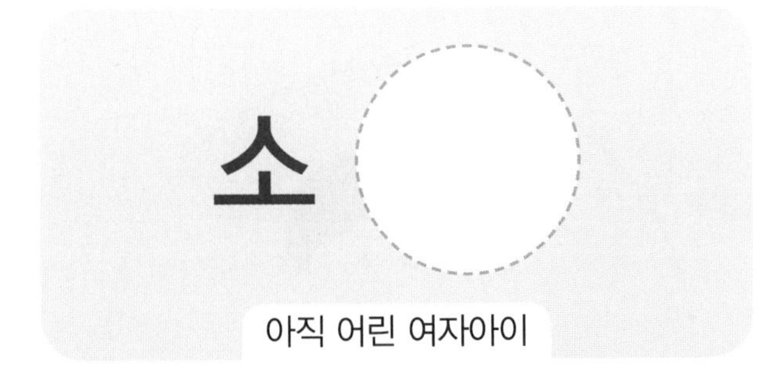

아직 어린 여자아이

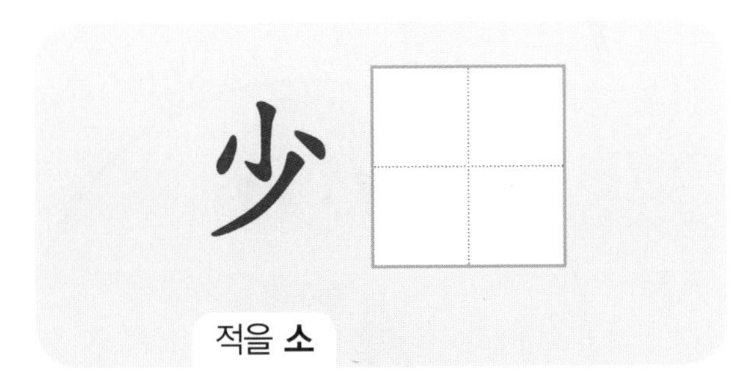

적을 **소**

여성으로 태어난 사람

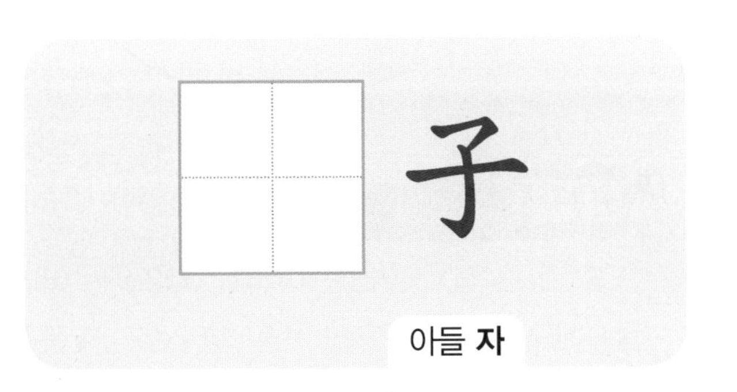

아들 **자**

女 여자 녀

기초 실력을 키워요

1 그림에 알맞은 한자를 보기 에서 찾아 쓰세요.

보기
家 父 母 子 女

아하! 이렇게 푸는구나!

'家(가)'는 집, '父(부)'는 아버지, '母(모)'는 어머니, '子(자)'는 아들, '女(녀)'는 여자 또는 딸을 가리키는 글자예요. 보기 속 한자의 뜻을 알아보고, 그 뜻에 알맞은 그림을 찾아보세요.

기초 집중 연습

어휘 확인

2 다음 뜻에 해당하는 낱말을 찾아 ✔표 하세요.

급수 유형

3 다음 뜻에 알맞은 한자를 보기 에서 찾아 그 번호를 쓰세요.

보기
① 母　② 子　③ 女

- 여자 → (　　　　　)

급수 유형

4 다음 밑줄 친 낱말에 해당하는 한자어를 보기 에서 찾아 그 번호를 쓰세요.

보기
① 女子　② 少女　③ 女軍

- 잔 다르크는 나라를 구하기 위해 침략자들에 맞서 싸운 <u>소녀</u> 영웅입니다.

→ (　　　　　)

누구나 100점 TEST

1 다음 그림이 나타내는 한자를 찾아 선으로 이으세요.

• 家

• 父

2 다음 □ 안에 들어갈 한자에 ○표 하세요.

이번 여행은 부□님과 함께 가기로 하였습니다.

父 / 母

3 다음 밑줄 친 한자어를 바르게 읽은 것에 ○표 하세요.

선생님 子女분들도 함께 오시는 거죠?

여자 / 자녀

4 다음 한자의 음(소리)을 보기 에서 찾아 그 번호를 쓰세요.

보기

① 부　② 녀　③ 가

• 家 → (　　　　)

5 다음 뜻에 해당하는 한자를 찾아 선으로 이으세요.

여자 •	• 母
어머니 •	• 女

6 다음 뜻에 맞는 한자어를 보기 에서 찾아 그 번호를 쓰세요.

보기
① 父母　② 父子　③ 父女

- 아버지와 어머니 → (　　　)

7 다음 밑줄 친 말에 해당하는 한자를 보기 에서 찾아 그 번호를 쓰세요.

보기
① 父　② 女　③ 母

- 여자아이들의 웃음소리가 끊이지 않습니다. → (　　　)

8 다음 밑줄 친 한자의 음(소리)을 쓰세요.

선생님의 말씀에 남子아이들이 더 기뻐하였습니다.

→ (　　　)

생각을 키워요 1

국어+한문 **다음 만화를 읽고, 성어의 뜻을 생각해 보세요.**

집 **가** 화할 **화** 일만 **만** 일 **사** 이룰 **성**

뭐 좋은 일이라도 있어? 표정이 밝아 보이네.
그래 보여?

맞아. 요즘 우리 집 분위기가 너무 좋거든.
부모님도 다정하시고, 강아지 보리도 말썽 안 피우고 말이야.

그래서인지 무슨 일이든 잘 풀리는 느낌이야. 한자 시험도 100점 맞았다니깐!

가화만사성이지 뭐야.
음핫핫핫
가화만사성이라고?

◐ 정답 5쪽

◆ **성어의 뜻을 살펴보며 빈칸에 알맞은 한자를 채우세요.**

→ '집안이 화목하면 모든 일이 잘 이루어진다.'는 뜻으로, 가정 내 화목의 중요성을 이르는 말

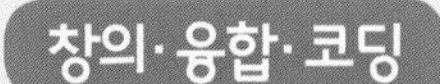

생각을 키워요 2

코딩+한문 한자 카드 퍼즐의 '母' 자를 순서도에 따라 움직였을 때 만들어지는 한자어의 음(소리)를 쓰세요.

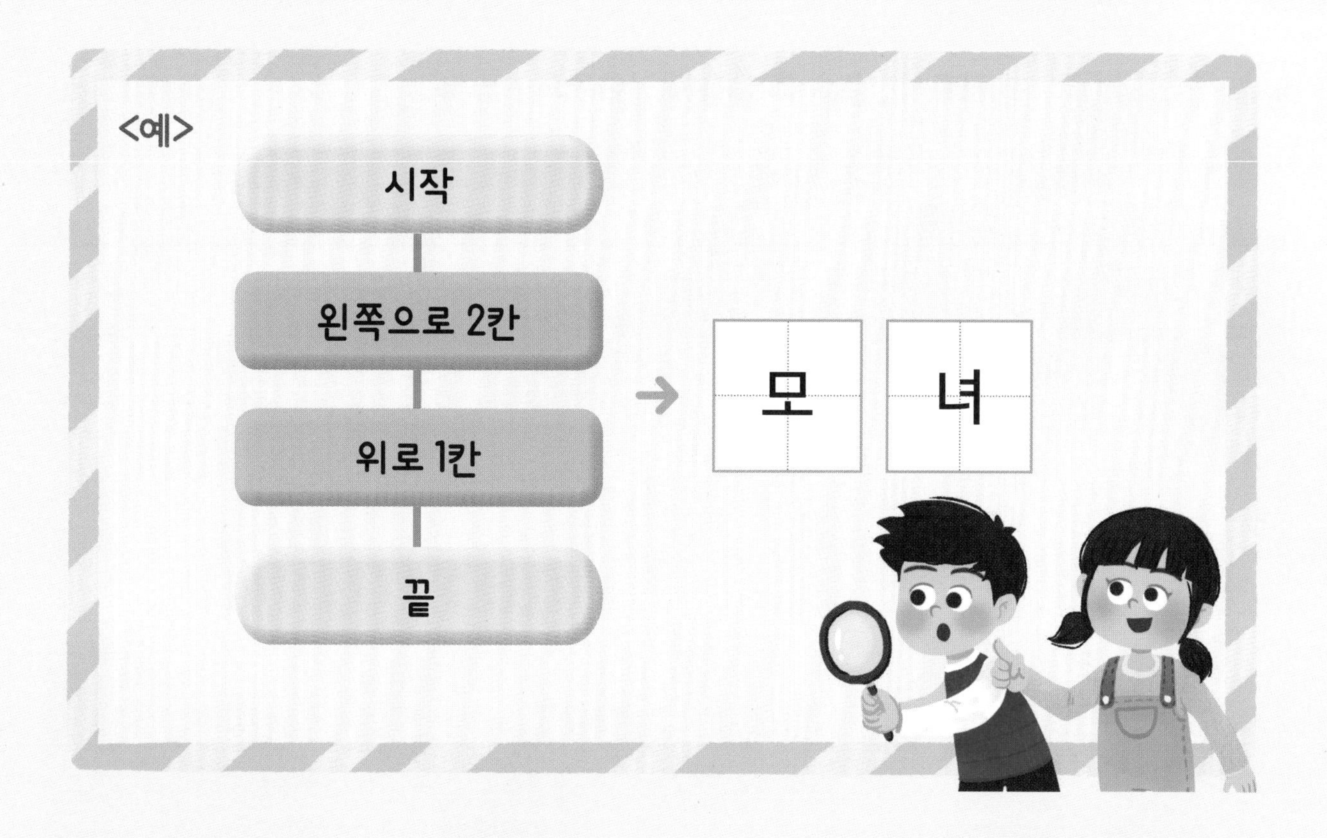
<예>
시작
왼쪽으로 2칸
위로 1칸
끝
모
녀

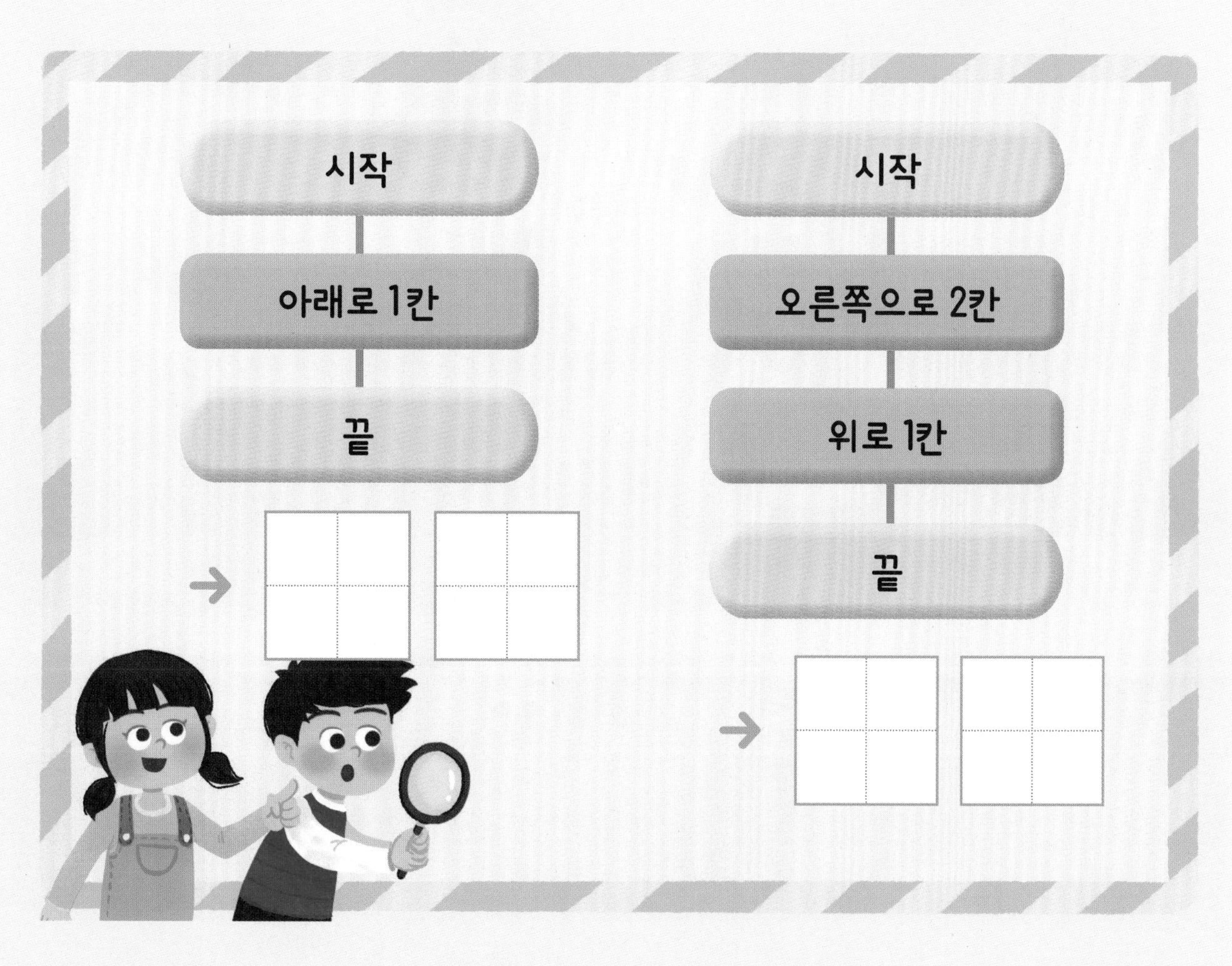
시작
아래로 1칸
끝
시작
오른쪽으로 2칸
위로 1칸
끝

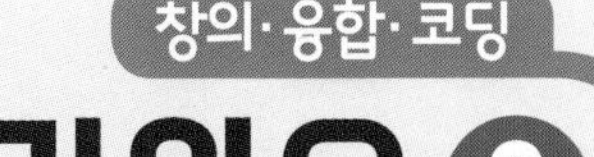

생각을 키워요 3

사회+한문 다음 가족사진을 보고 물음에 답하세요.

◐ 정답 6쪽

1 사진에 등장하는 인물과 관계없는 한자를 찾아 ✔표 하세요.

2 다음 두 사람의 관계를 바르게 나타낸 것에 ○표 하세요.

父子 (부자)

母女 (모녀)

3 다음 글을 읽고, 사진 속 가족의 형태로 알맞은 것을 보기 에서 찾아 그 번호를 쓰세요.

보기

① 핵가족 ② 확대 가족 ③ 한 부모 가족

가족은 결혼, 혈연, 입양 등으로 맺어진 공동체 또는 그 구성원을 이르는 말입니다. 가족은 구성하는 사람의 범위와 수, 나이 등에 따라 모습이 조금씩 다릅니다.

부모와 자녀로 이루어진 가족을 '핵가족'이라고 하며, 아버지 또는 어머니 한 사람과 자녀로 구성된 가족을 '한 부모 가족'이라고 합니다. 또 조부모, 부모, 자녀의 3대 이상이 모여 사는 가족은 '확대 가족'이라고 합니다.

2주에는 무엇을 공부할까? ①

도서관에 오니까
책이 참 많다!

이왕 도서관에 왔으니
책을 읽어 보자. 어떤 책이
재미있을까?

흠, 무슨 책을 읽지?

이번 주에는 어떤 한자를 공부할까?

1일 兄 형 형

2일 弟 아우 제

3일 姓 성 성

4일 名 이름 명

5일 孝 효도 효

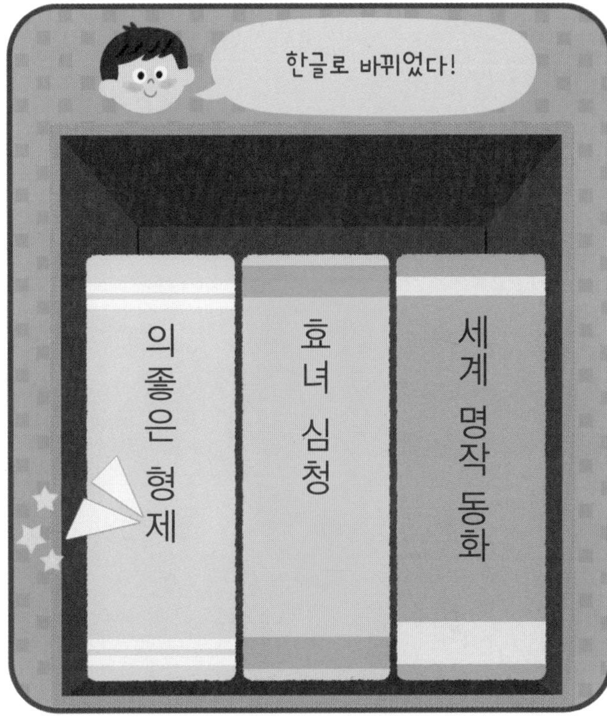

2주

2주

2주에는 무엇을 공부할까? ②

✪ 이번 주에 배울 한자들이 그림 속에 숨어 있어요. 보기를 참고해서 한자를 찾아보세요.

보기

兄 형 형　弟 아우 제　姓 성 성　名 이름 명　孝 효도 효

◐ 정답 7쪽

2
주

兄 형 형

다음 글을 읽고, 오늘 배울 한자를 확인해 보세요.

운동을 좋아하는 사촌 형(兄)은 나하고 놀아 줄 새가 없습니다.
오늘도 학교가 끝나자마자 친구들과 어울려 축구를 합니다.
나도 뒤따라가며 외칩니다.
"형(兄), 나도 끼워 줘!"
오늘 배울 한자
兄
형 형

공부한 날 月 日

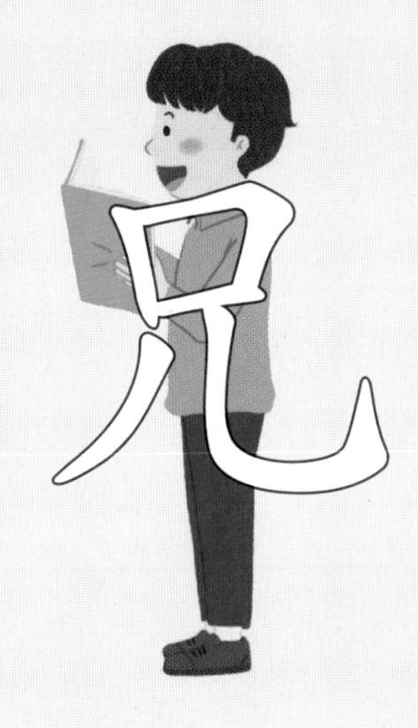

형 형

입을 벌리고 있는 사람을 나타낸 글자로, 동생을 타이르고 지도하는 사람이라는 데서 형을 뜻해요.

연하게 쓰인 한자를 따라 써 본 후, 빈칸에 바르게 쓰세요.

兄	兄	兄	兄
형 형	형 형	형 형	형 형
형 형	형 형	형 형	형 형

2주

1일
가족 한자

兄 형 형

한자어를 익혀요

주말에 사촌 언니랑 형부(兄夫)랑 같이 놀이동산에 가기로 했어.

어, 나도 지난주에 형이랑 놀이동산 갔는데.

너 형이 있었어?
친형(親兄) 은 아니고 사촌 형이 같은 동네에 살아서 자주 만나.

어, 마침 저기 우리 사촌 형이 지나가는데!
어디, 어디?

형!
벼리야!

진짜 형제간(兄弟間)이라고 해도 믿겠는걸!
삐질~

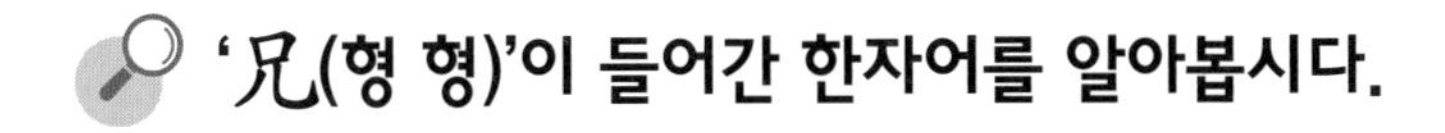

'兄(형 형)'이 들어간 한자어를 알아봅시다.

형 한글로 써 보아요.

한자로 써 보아요.

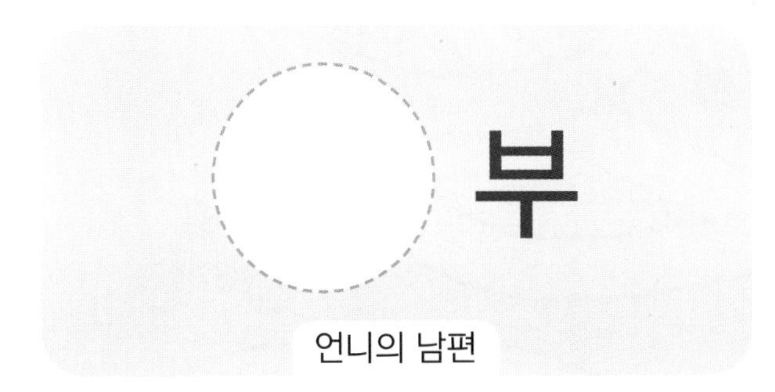

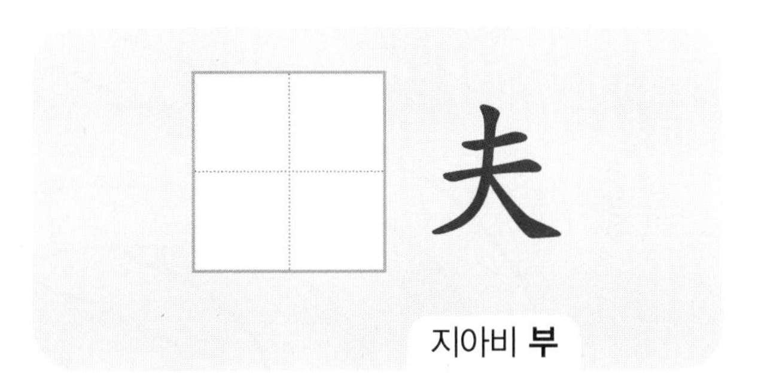

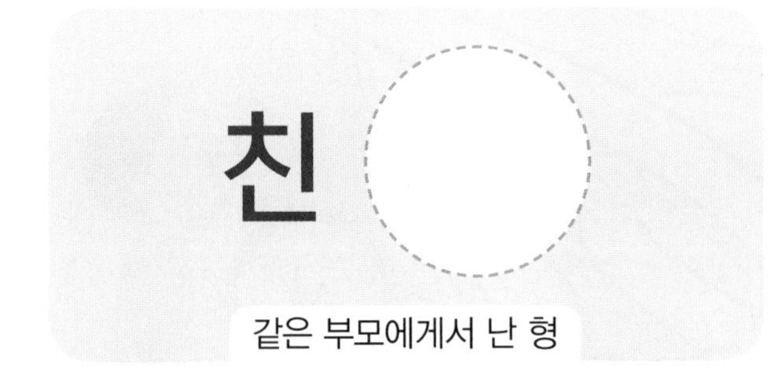

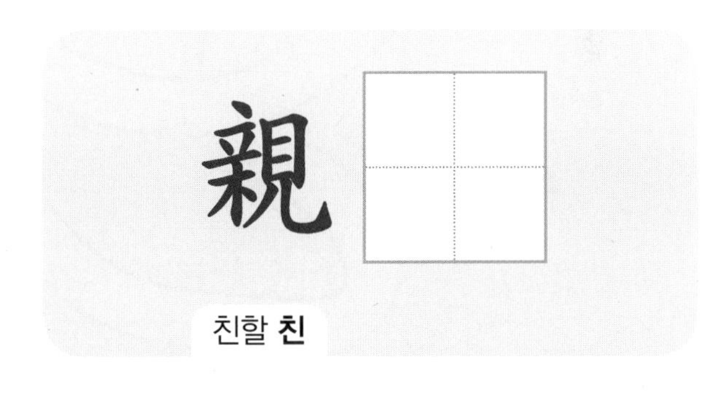

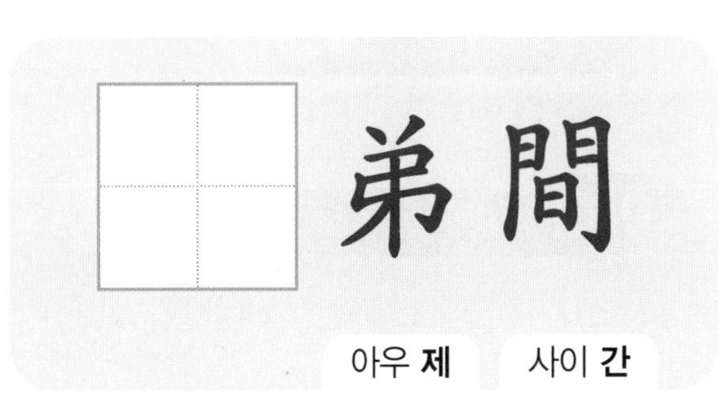

兄 형 형

기초 실력을 키워요

1 미로를 따라가 '兄'의 뜻으로 옳은 것에 ○표 하세요.

아하! 이렇게 푸는구나!

'兄(형)'은 동생을 타이르고 지도하는 사람이란 뜻을 가지고 있는 글자로, '형'이나 '맏이'를 나타내요.

기초 집중 연습

어휘 확인

2 다음 뜻에 해당하는 낱말을 찾아 선으로 이으세요.

언니의 남편

형과 아우 사이

형제간

형부

급수 유형

3 다음 한자의 음(소리)을 보기 에서 찾아 그 번호를 쓰세요.

보기

① 자　② 녀　③ 형

- 兄 → (　　　　)

급수 유형

4 다음 밑줄 친 말에 해당하는 한자를 보기 에서 찾아 그 번호를 쓰세요.

보기

① 兄　② 女　③ 子

- 사촌 <u>형</u>은 운동을 좋아합니다. → (　　　　)

弟 아우 제

다음 글을 읽고, 오늘 배울 한자를 확인해 보세요.

형제(弟)자매는 친하게 지내야 한다지만
내 동생[弟]은 정말 말썽꾸러기입니다.
내 뒤만 졸졸 따라다니면서 훼방을 놓습니다.
오늘도 나는 엄마한테 달려갑니다.
"엄마, 동생[弟] 좀 말려 주세요!"

공부한 날 月 日

아우 제

말뚝에 새끼를 둘러 차례를 나타낸 데서 아우라는 뜻을 갖게 되었어요.

연하게 쓰인 한자를 따라 써 본 후, 빈칸에 바르게 쓰세요.

弟	弟	弟	弟
아우 제	아우 제	아우 제	아우 제
아우 제	아우 제	아우 제	아우 제

2주

弟 아우 제

한자어를 익혀요

한자어 활용

'弟(아우 제)'가 들어간 한자어를 알아봅시다.

제 한글로 써 보아요.

한자로 써 보아요.

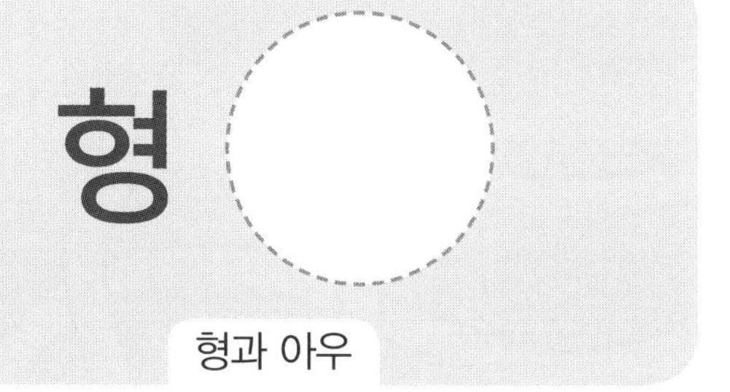

형과 아우

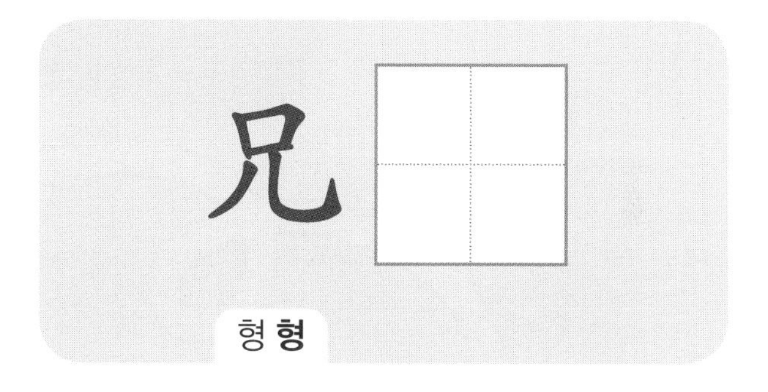

형 **형**

스승으로부터 가르침을 받는 사람

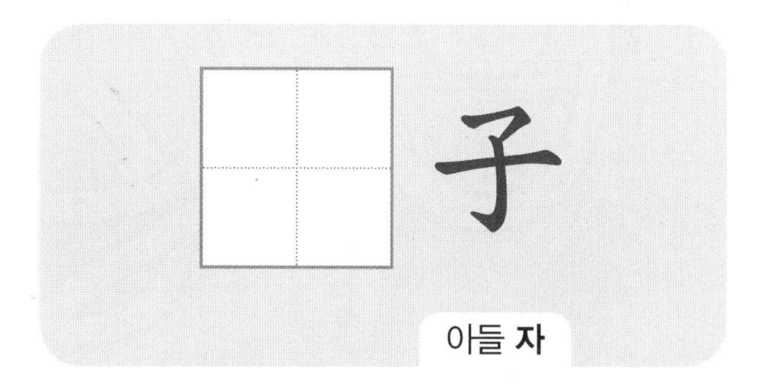

아들 **자**

남을 높여 그의 아들을 이르는 말

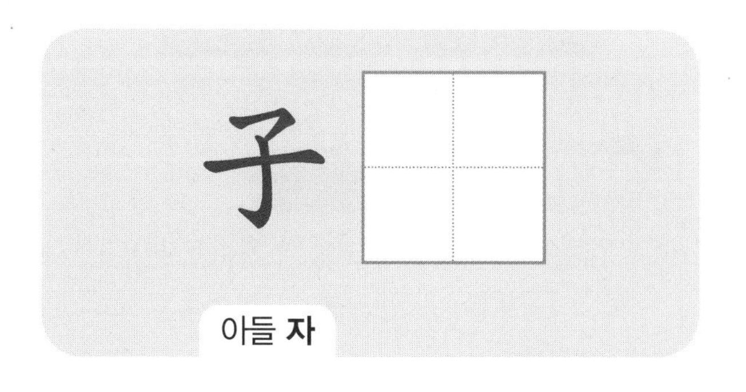

아들 **자**

2
주

弟 아우 제

기초 실력을 키워요

1 낚싯줄에 걸린 물고기에 써 있는 한자의 뜻 또는 음(소리)을 쓰세요.

아하! 이렇게 푸는구나!

'兄(형)'은 입을 벌리고 있는 사람을 본뜬 글자이고, '弟(제)'는 말뚝에 새끼를 둘러 차례를 나타낸 데서 비롯한 글자예요. 낚싯줄을 잘 따라가 그 뜻 또는 음(소리)을 써 보세요.

2 ◯에 알맞은 글자를 넣어 낱말을 만드세요.

형과 아우

남을 높여 그의 아들을
이르는 말

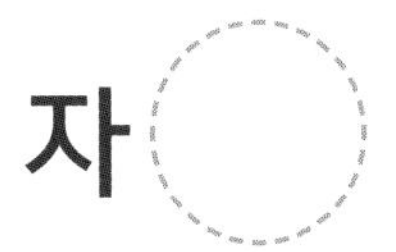

3 다음 밑줄 친 음(소리)에 해당하는 한자를 보기 에서 찾아 그 번호를 쓰세요.

보기

① 兄　　② 弟　　③ 子

- 선생님 기억에 남는 <u>제</u>자 → (　　　　　)

급수 유형

4 보기 와 같이 다음 한자의 뜻과 음(소리)을 쓰세요.

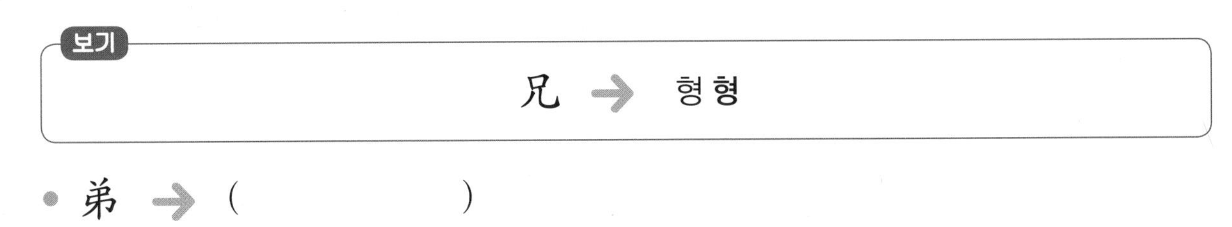

보기

兄 → 형 형

- 弟 → (　　　　　)

姓 성 성

다음 글을 읽고, 오늘 배울 한자를 확인해 보세요.

자기소개하기
오늘 배울 한자
姓
성 성
나는 성(姓)이 '김'이고, 이름은 '벼리'예요.
축구를 좋아하고, 책 읽기도 좋아해요.
여기 모인 우리들 성(姓)씨는 각각
다르겠지만, 앞으로 사이좋게 잘 지내요!

공부한 날 月 日

姓 성 성

[같은 조상으로부터 태어난 친족끼리 함께 쓰는 집안의 이름, 곧 **성씨**를 뜻해요.]

연하게 쓰인 한자를 따라 써 본 후, 빈칸에 바르게 쓰세요.

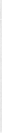

姓	姓	姓	姓
성 **성**	성 **성**	성 **성**	성 **성**
성 **성**	성 **성**	성 **성**	성 **성**

2주

3일
가족 한자

姓 성 성

한자어를 익혀요

책에서 읽었는데, 고려 시대가 되어서야 백성(百姓)들도 성씨(姓氏)를 가질 수 있었대.

그래? 그럼 그 전엔 성이 없었단 말야?
그렇대도.

또 한 가지. 우리나라 성씨 중 가장 많은 성씨가 뭔지 아니?
김씬가? 이씬가?

김씨야. 김씨가 우리나라 인구의 5분의 1이 넘는대.

와, 많다! 나도 김씨인데.
하지만 '벼리'라는 네 이름은 정말 귀할 거야.

그럼! 내 성명(姓名)은 우리나라 최고 명품이지!
아이고, 또 나왔다. 명품 자랑!
으이그~

'姓(성 성)'이 들어간 한자어를 알아봅시다.

한글로 써 보아요.

한자로 써 보아요.

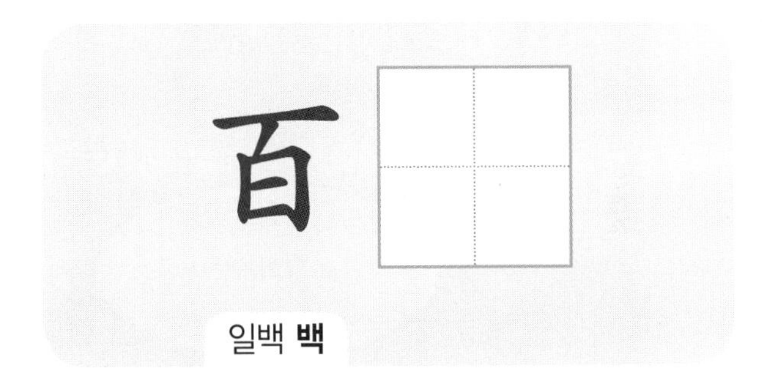

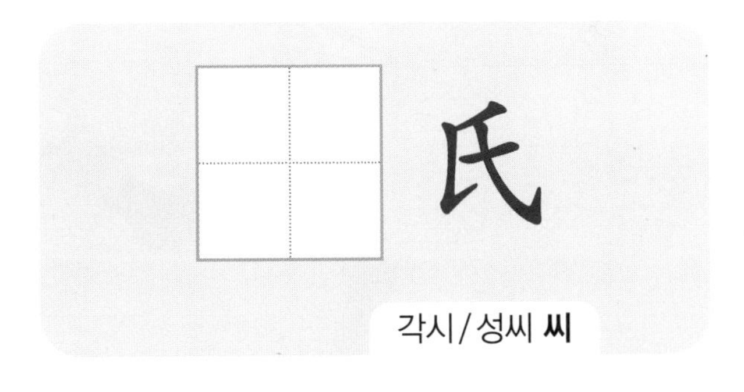

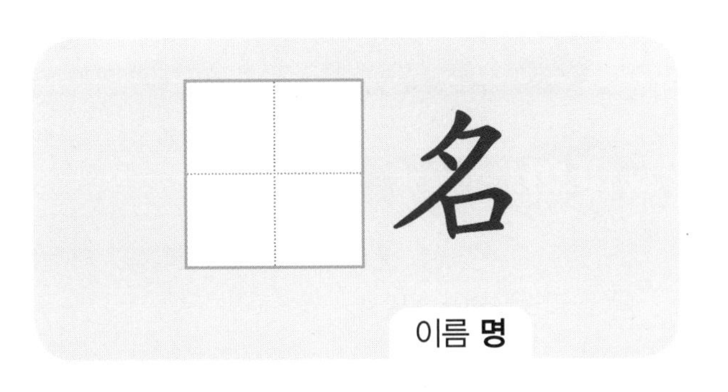

姓 성 성

기초 실력을 키워요

1 그림 속 한자의 뜻과 음(소리)을 보기 에서 찾아 쓰세요.

보기

형 **형**　　아우 **제**　　성 **성**

아하! 이렇게 푸는구나!

그림 속 한자는 '兄(형)', '弟(제)', '姓(성)' 자예요. 말주머니를 통해 그림의 상황을 보면서 한자의 뜻과 음(소리)을 찾아보세요.

기초 집중 연습

어휘 확인

2 다음 뜻에 해당하는 낱말을 찾아 ✔표 하세요.

• 성을 높여 부르는 말:

• 성과 이름:

성명

급수 유형

3 다음 밑줄 친 한자의 음(소리)을 쓰세요.

나는 姓이 '김'이고, 이름은 '벼리'입니다. → (　　　　　　)

급수 유형

4 다음 밑줄 친 말에 해당하는 한자를 보기 에서 찾아 그 번호를 쓰세요.

보기

① 兄　　② 弟　　③ 姓

• 조상으로부터 물려받은 성씨 → (　　　　　　)

名 이름 명

다음 글을 읽고, 오늘 배울 한자를 확인해 보세요.

부모님은 여행을 좋아하십니다.
전국적으로 이름[名]난 관광지들은 물론 잘 알려지지 않은
숨은 명(名)소들도 많이 찾아다니십니다.
산천의 아름다움과 사람들이 살아가는 모습은
나에게도 여행의 즐거움을 느끼게 해 줍니다.
오늘 배울 한자
名
이름 명
국립공원

공부한 날 月 日

이름 명

저녁이 되어 어두우면 자기 이름을 말해서 알려야 했다는 데서 **이름**이라는 뜻을 나타내요.

연하게 쓰인 한자를 따라 써 본 후, 빈칸에 바르게 쓰세요.

名	名	名	名
이름 명	이름 명	이름 명	이름 명
이름 명	이름 명	이름 명	이름 명

2주

4일
가족 한자

名 이름 명

한자어를 익혀요

주말에
뭐 했어?
아빠랑 같이 명산(名山)인
설악산에 다녀왔어.

푸른 나무, 시원한 바람.
다시 생각해도 기분이 좋아!

나 나중에 커서 동네 뒷산에
집을 짓고 살고 싶어.

일명(一名)
자연인이라고나 할까?

자연인이라…….

모르긴 몰라도 우리 동네
명물(名物)이 될 것 같다!
크크크
그치~

한자어 활용

'名(이름 명)'이 들어간 한자어를 알아봅시다.

명 한글로 써 보아요.

한자로 써 보아요.

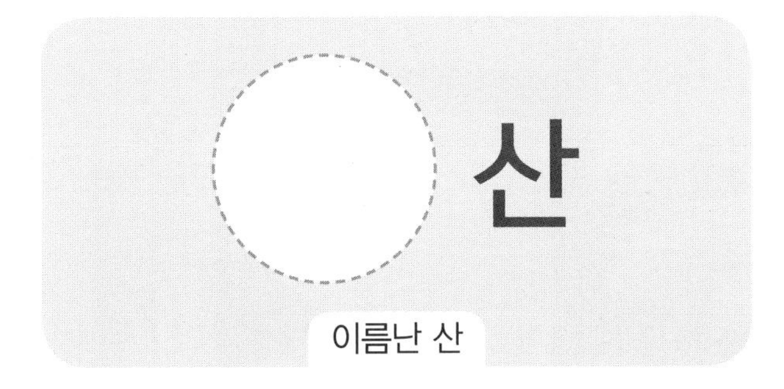

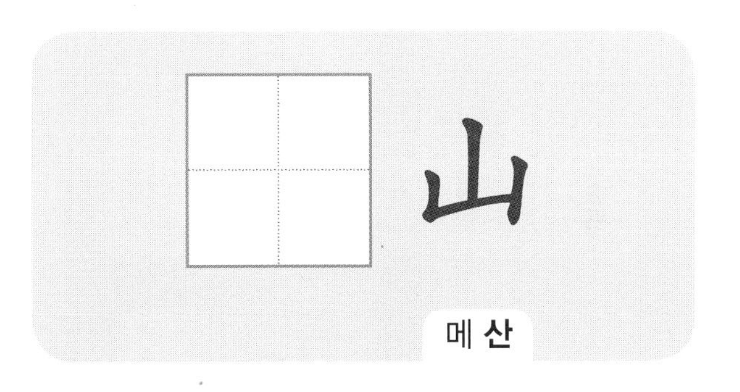

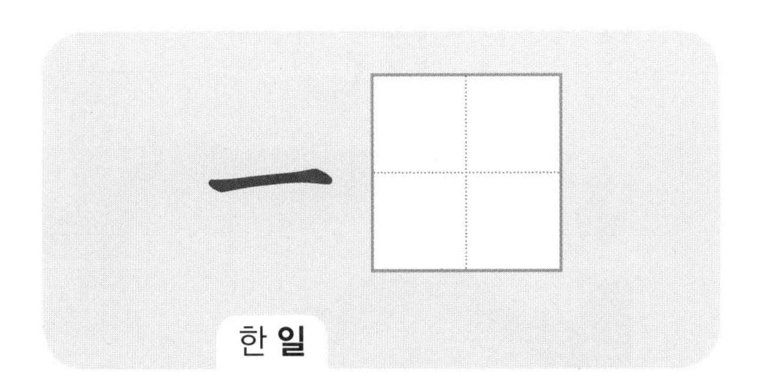

물
어떤 지방의 이름난 사물 또는 인기 있는 사람

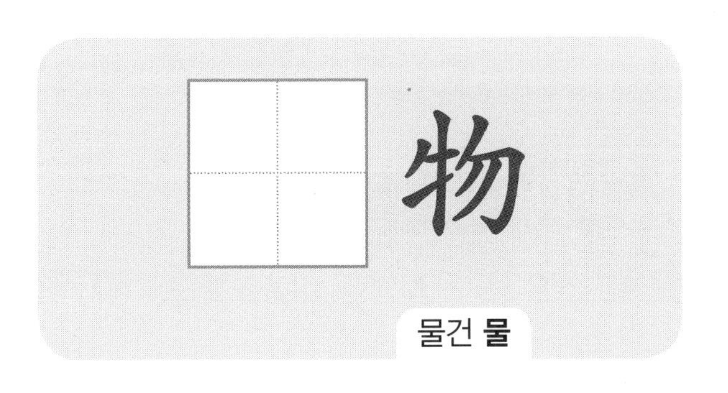

2주

名 이름 명

기초 실력을 키워요

1 사다리를 타고 올라가 한자의 뜻과 음(소리)을 쓰세요.

아하! 이렇게 푸는구나!

'姓(성)'은 성씨, '名(명)'은 이름을 뜻하는 한자예요.

기초 집중 연습

어휘 확인

2 다음 뜻에 해당하는 한자어를 찾아 선으로 이으세요.

이름난 산 •

• 一名

따로 부르는 이름 •

• 名山

급수 유형

3 다음 뜻에 알맞은 한자를 보기 에서 찾아 그 번호를 쓰세요.

보기

① 兄 ② 姓 ③ 名

• 이름 → (　　　　　　)

급수 유형

4 다음 밑줄 친 한자의 음(소리)을 쓰세요.

우리 동네 어귀에 있는 장승은 많은 사람들의 관심을 받는 <u>名</u>물이 되었습니다. → (　　　　　　)

孝 효도 효

다음 글을 읽고, 오늘 배울 한자를 확인해 보세요.

비를 맞으며 친구들과 놀았습니다.
그런데 한밤중에 몸에 열이 났습니다.
나를 바라보시는 부모님 얼굴에 걱정이 가득하였습니다.
이제부터는 아프지 않고 씩씩하게 잘 자라
이다음에 효(孝)도로 보답해야겠다고
마음속에 다짐하였습니다.
오늘 배울 한자
孝
효도 효

공부한 날 月 日

효도 효

나이 든 부모님을 등에 업고 봉양하는 아들을 나타낸 글자로, **효도**를 뜻해요.

연하게 쓰인 한자를 따라 써 본 후, 빈칸에 바르게 쓰세요.

孝	孝	孝	孝
효도 효	효도 효	효도 효	효도 효
효도 효	효도 효	효도 효	효도 효

2주

孝 효도 효

한자어를 익혀요

심청이는 정말 효녀(孝女)일까?
지극한 효심(孝心)으로 인당수에 몸을 던졌으니, 효녀 맞잖아.

하지만 심청이가 없어지면 혼자 남는 아버지가 너무 슬프잖아.

난 그런 건 불효(不孝)라고 생각해.
그럼 너라면 어떻게 할 거야?

나라면 말이지…….
음…

앞 못 보는 노인에게 사기를 치다니! 혼 좀 나 봐라!
버럭

'孝(효도 효)'가 들어간 한자어를 알아봅시다.

한글로 써 보아요.

한자로 써 보아요.

부모를 잘 섬기는 딸

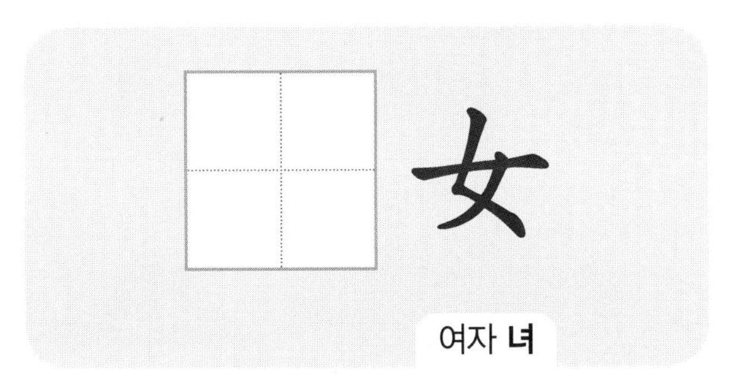

여자 **녀**

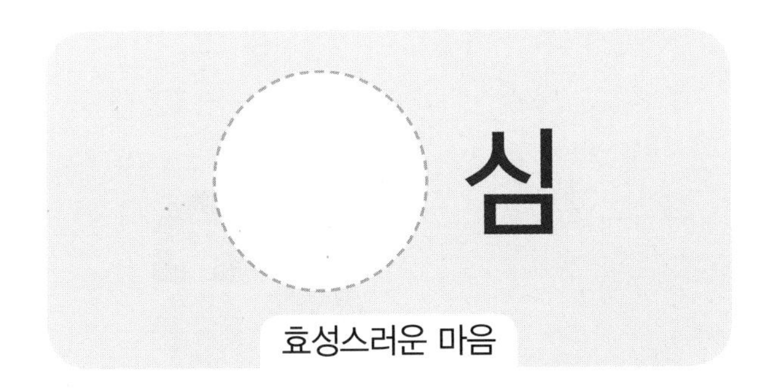

효성스러운 마음

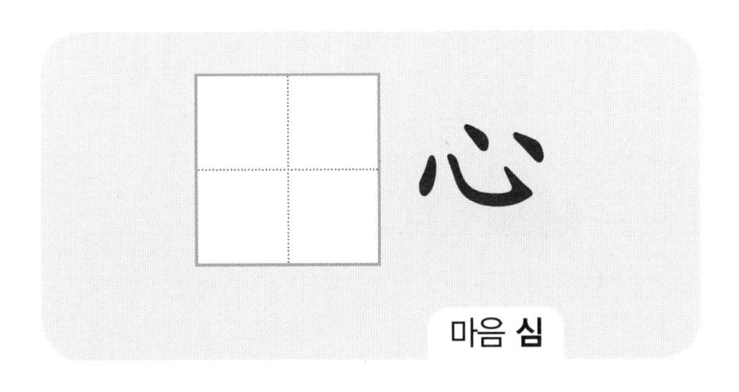

마음 **심**

자식 된 도리를 하지 못함.

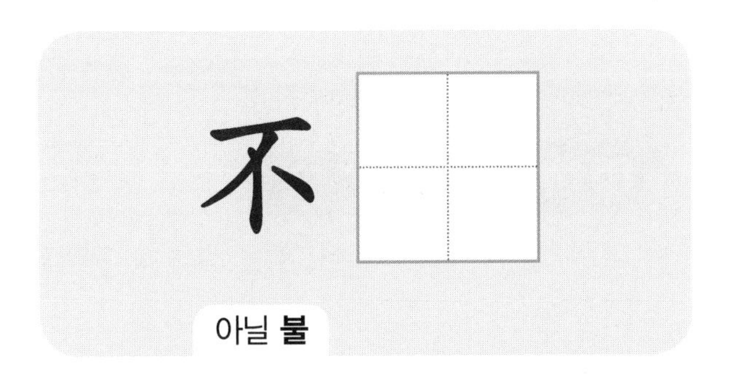

아닐 **불**

孝 효도 효

기초 실력을 키워요

1 엄마 아빠를 만나기 위해서는 어느 길로 가야 할지 한자의 뜻과 음(소리)이 바른 길을 찾아보세요.

아하! 이렇게 푸는구나!

兄은 '형 형', 姓은 '성 성', 孝는 '효도 효' 자예요. 한자의 뜻과 음(소리)이 올바르게 표시된 이정표를 따라가세요.

어휘 확인

2 '孝(효도 효)'가 들어 있는 낱말을 두 개 찾아 ✔표 하세요.

자식 된 도리를 하지 못함.

어떤 행위에 의하여 드러나는 보람이나 좋은 결과

효성스러운 마음

급수 유형

3 다음 밑줄 친 낱말에 해당하는 한자어를 보기 에서 찾아 그 번호를 쓰세요.

보기

① 不孝 ② 孝女 ③ 孝心

- 아이구, 우리 다은이가 제일 효녀구나! → (   )

급수 유형

4 다음 한자의 뜻을 보기 에서 찾아 그 번호를 쓰세요.

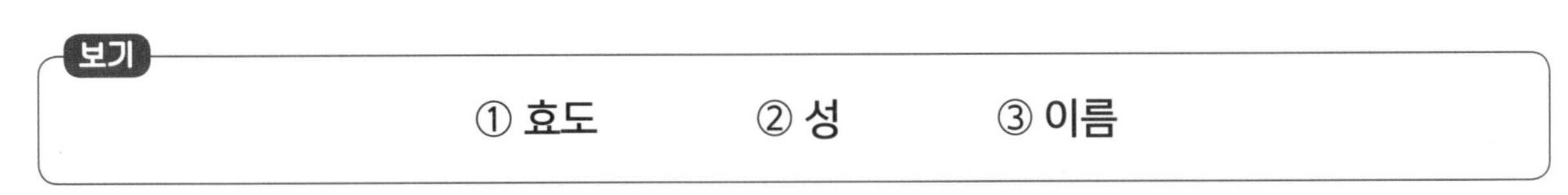
보기

① 효도 ② 성 ③ 이름

- 孝 → (   )

2주 누구나 100점 TEST

1 다음 그림이 나타내는 한자어를 찾아 선으로 이으세요.

• 兄弟

• 弟子

2 다음 ☐ 안에 들어갈 한자에 ○표 하세요.

김씨, 이씨는 우리나라의 대표적인 ☐ 씨입니다.

姓 / 弟

3 다음 한자에 해당하는 뜻을 찾아 ✓표 하세요.

孝 → ☐ 아우 ☐ 효도

4 다음 한자의 음(소리)을 보기 에서 찾아 그 번호를 쓰세요.

보기

① 성 ② 명 ③ 형

• 名 → (　　　　　)

5 다음 뜻에 해당하는 한자어를 보기 에서 찾아 그 번호를 쓰세요.

- 스승으로부터 가르침을 받는 사람 → (　　　　　)

6 낱말판에서 설명 에 제시된 낱말을 찾아 가로 또는 세로로 ○표 하세요.

7 다음 뜻에 알맞은 한자를 보기 에서 찾아 그 번호를 쓰세요.

- 성씨 → (　　　　　)

8 다음 밑줄 친 한자의 음(소리)을 쓰세요.

모든 행실의 으뜸은 <u>孝</u>도라고 할 수 있습니다.

→ (　　　　　)

국어+한문 다음 만화를 읽고, 성어의 뜻을 생각해 보세요.

難 兄 難 弟

어려울 난 형 형 어려울 난 아우 제

엄마, 제가 만든 로봇이에요. 잘 만들었죠?
와, 진짜 로봇 같은데!

엄마, 이거 내가 만들었어. 나도 잘했지?
정말 잘 만들었구나. 바다에 띄우면 태평양도 건너가겠다. 대단해!

내 로봇이 최고거든!
아냐, 내 배가 더 멋져. 엄마한테 물어볼래?

얘들아, 다 잘했어.
둘 다 너무 잘 만들어서 하나만 고르긴 어려운걸.

◐ 정답 10쪽

2주

◆ 성어의 뜻을 살펴보며 빈칸에 알맞은 한자를 채우세요.

→ '누구를 형이라 하기도 어렵고 누구를 아우라 하기도 어렵다.'는 뜻으로, 누가 더 낫다고 할 수 없을 정도로 서로 비슷함을 이르는 말

2주 특강 생각을 키워요 2

코딩+한문 조건에 따라 다음과 같이 반응하도록 만들어진 로봇입니다. 조건이 아래와 같을 때 로봇의 반응을 쓰세요.

조건 1
나보다 나이가 많은
사람을 만났을 때
안녕하세요?

재미있게
놀자!

조건 2

나보다 어린 사람을
만났을 때

안녕,
난 벼리야.

조건 3

이름을 물어볼 때

◐ 정답 11쪽

조건		로봇의 반응
兄을 만남.	→	
弟를 만남.	→	
名을 물음.	→	

도덕+한문 다음 이야기를 읽고, 물음에 답하세요.

◐ 정답 11쪽

1 이 글에 등장하는 인물과 관계없는 한자를 찾아 ✔표 하세요.

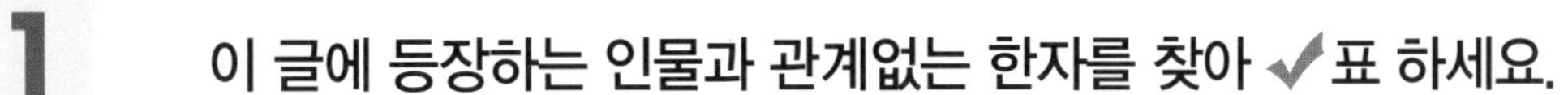

孝

弟

兄

2 동생이 황금을 물에 던진 까닭은 무엇인가요? (　　　　)

① 황금이 작아서

② 물고기를 잡으려고

③ 마음속에 욕심이 생겨서

④ 황금에 더러운 먼지가 묻어서

3 말풍선 속 빈칸에 들어갈 알맞은 단어를 한자로 쓰세요.

아무리 값비싼 물건도
□□간의 우애를
가를 순 없어.

답 □□

2주

3주에는 무엇을 공부할까? ❶

이번 주에는 어떤 한자를 공부할까?

1일 男 사내 남
2일 工 장인 공
3일 手 손 수
4일 足 발 족
5일 自 스스로 자

3주

3주 3주에는 무엇을 공부할까? ②

✪ 이번 주에 배울 한자들이 그림 속에 숨어 있어요. 보기 를 참고해서 한자를 찾아보세요.

보기
男 사내 남　工 장인 공　手 손 수　足 발 족　自 스스로 자

◐ 정답 12쪽

3주

男 사내 남

다음 글을 읽고, 오늘 배울 한자를 확인해 보세요.

삼촌의 결혼식에 가기 전 미용실에 들렀어요.
남(男)자 헤어 디자이너가 웃음꽃 핀 얼굴로 맞아 주었어요.
"안녕, 꼬마 사나이[男]!"
미용실을 찾은 남(男)녀노소 모두의 얼굴에도
미소가 가득합니다.
오늘 배울 한자
男
사내 남

공부한 날 月 日

사내 남

힘써서 밭을 가는 사람을 나타낸 글자로, 사내, 남자를 뜻해요.

연하게 쓰인 한자를 따라 써 본 후, 빈칸에 바르게 쓰세요.

男	男	男	男
사내 남	사내 남	사내 남	사내 남
사내 남	사내 남	사내 남	사내 남

3주

男 사내 남

한자어를 익혀요

'男(사내 남)'이 들어간 한자어를 알아봅시다.

한글로 써 보아요.

한자로 써 보아요.

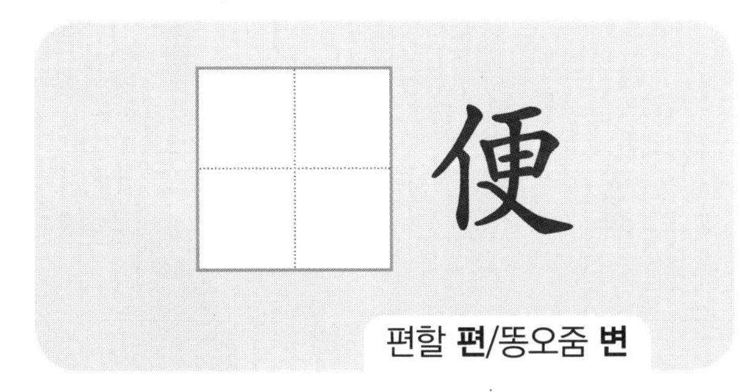

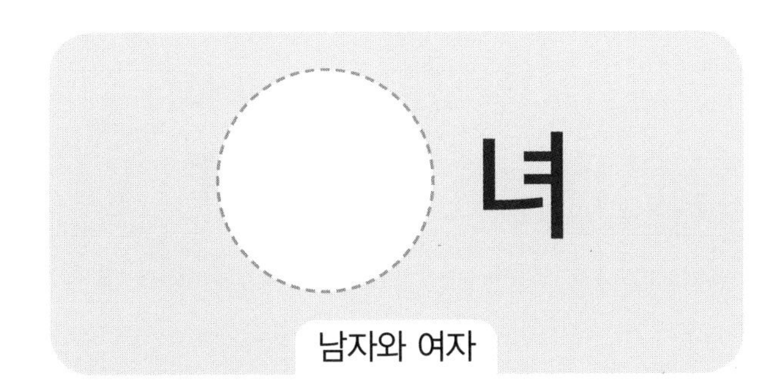

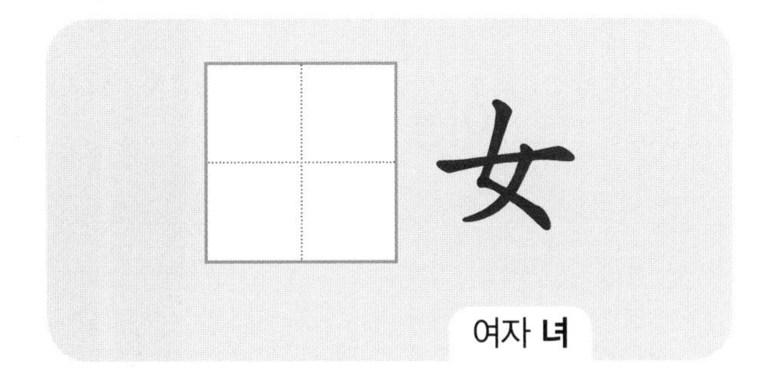

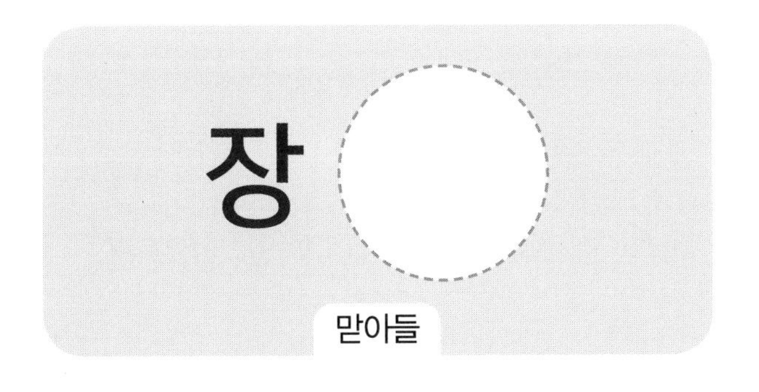

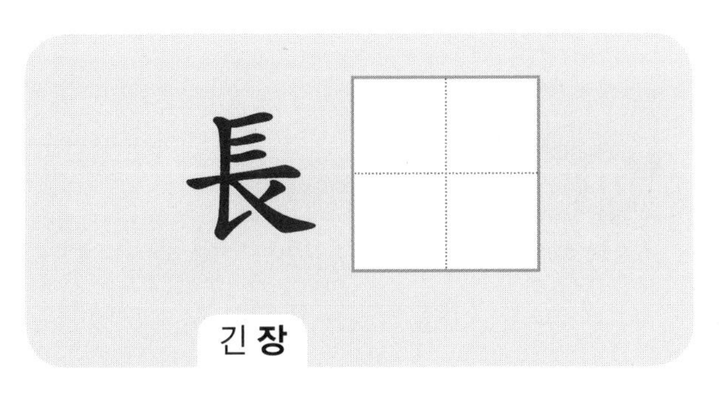

3주

男 사내 남

기초 실력을 키워요

1 다음 한자의 뜻과 음(소리)을 찾아 색칠해 보세요.

아하! 이렇게 푸는구나!

'男'은 밭[田]을 힘써[力] 가는 사람을 나타낸 글자예요. 옛날의 농사일은 주로 남성이 할 일이었으므로 '사내', '남자', '아들'이라는 뜻을 가지게 되었어요.

2 다음에서 '男(사내 남)'이 들어 있는 낱말을 찾아 ○표 하세요.

급수 유형

3 다음 밑줄 친 말에 해당하는 한자를 보기 에서 찾아 그 번호를 쓰세요.

보기

① 兄　　② 男　　③ 女

- 가슴을 활짝 편 사내들이 힘차게 행진합니다. → (　　　　　)

급수 유형

4 다음 한자어의 음(소리)을 보기 에서 찾아 그 번호를 쓰세요.

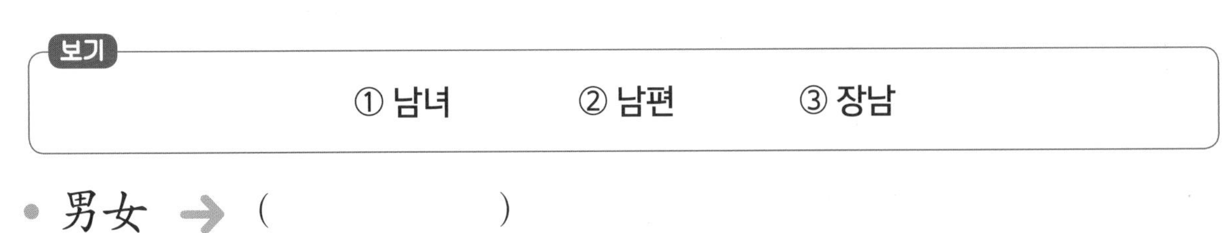

- 男女 → (　　　　　)

3주

工 장인 공

다음 글을 읽고, 오늘 배울 한자를 확인해 보세요.

"툭! 탁! 툭! 탁!"
나무를 깎고 다듬고 맞추어 가는
장인[工]들이 바쁘게 움직입니다.
처마가 날렵하게 하늘을 떠받치고
나무 냄새가 기분 좋게 코끝을 간질이며
집 짓는 공(工)사가 한창입니다.

공부한 날 月 日

장인 공

땅을 다질 때 사용하던 도구를 본뜬 글자로, 도구를 잘 다루는 **장인**을 뜻해요.

연하게 쓰인 한자를 따라 써 본 후, 빈칸에 바르게 쓰세요.

工	工	工	工
장인 공	장인 공	장인 공	장인 공
장인 공	장인 공	장인 공	장인 공

3주

2일
사람 한자

工 장인 공

한자어를 익혀요

얼마 전까지
공사(工事)가 한창이더니,
드디어 완성되었군.
뭐가?

저기 한옥 말이야.
자연과 어우러지게 지어서
그런지 인공(人工)적이지
않고 한 폭의 그림 같아.

한옥은 정말
아름답다니까.
와, 정말
멋지다!

열심히 공부(工夫)
해서 한옥 건축가가
되어야지!

잠시 후
열심히 공부해서 한옥
건축가가 될 거라며?
으아~~
탁
탁
탁
탁

이게 더 쉽고
빠르더라고. 히히!

한자어 활용

'工(장인 공)'이 들어간 한자어를 알아봅시다.

한글로 써 보아요.

한자로 써 보아요.

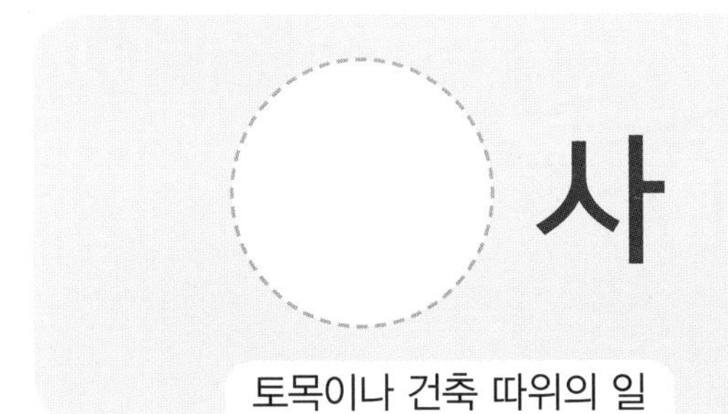

토목이나 건축 따위의 일

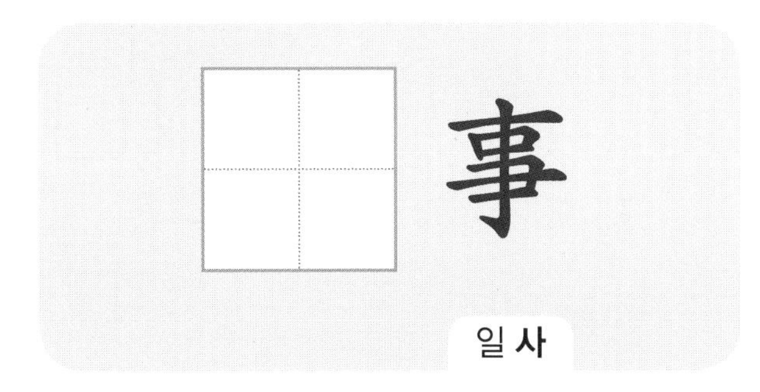

일 **사**

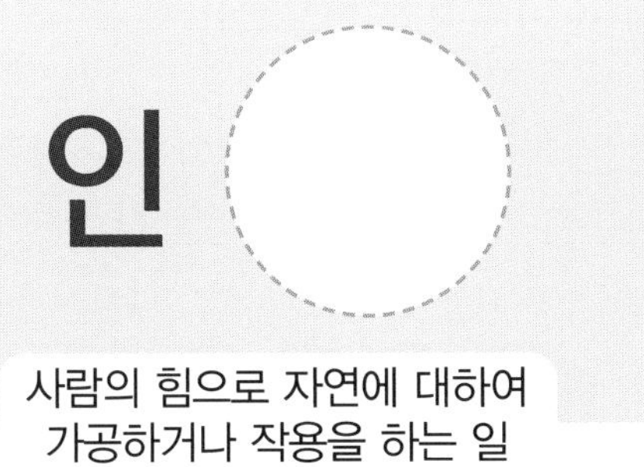

사람의 힘으로 자연에 대하여 가공하거나 작용을 하는 일

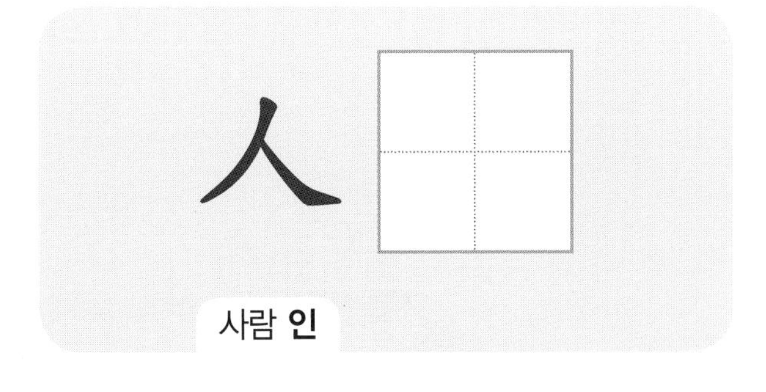

사람 **인**

학문이나 기술을 배우고 익힘.

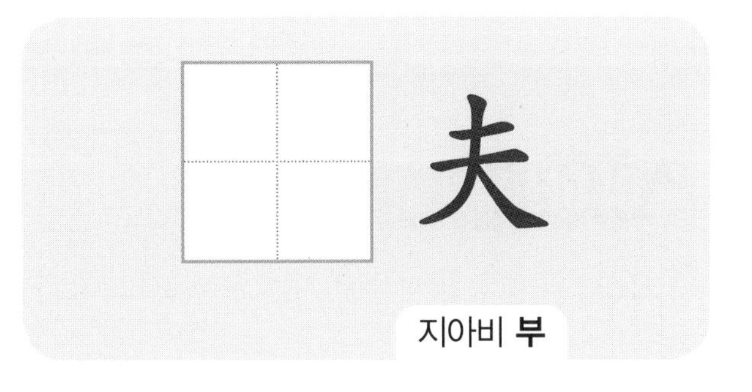

지아비 **부**

3주

工 장인 공

기초 실력을 키워요

1 다음 한자의 뜻과 음(소리)이 알맞은 것을 찾아 선으로 이으세요.

아하! 이렇게 푸는구나!

'男(남)'은 힘을 써서 밭을 가는 사람을, '工(공)'은 땅을 다질 때 사용하던 도구를 본뜬 글자예요.

2 다음 문장에서 ☐에 어울리는 낱말을 찾아 ○표 하세요.

방학 동안에 ☐☐을(를) 끝내기 위해 여러 사람들이 밤늦게까지 일하고 있습니다.

인공 / 공사

무엇인가를 이루기 위해서는 계획을 세워 꾸준히 ☐☐해야 합니다.

공부 / 인공

급수 유형

3 다음 한자의 음(소리)을 보기 에서 찾아 그 번호를 쓰세요.

보기

① 남 ② 공 ③ 사

- 工 → ( )

급수 유형

4 다음 밑줄 친 말에 해당하는 한자를 보기 에서 찾아 그 번호를 쓰세요.

보기

① 子 ② 男 ③ 工

- 오래도록 기술을 익혀야 하는 장인의 길 → ( )

手 손 수

다음 글을 읽고, 오늘 배울 한자를 확인해 보세요.

밖에 나갔다 오면 맨 먼저 손[手]을 씻습니다.
비누 거품을 내어 뽀드득뽀드득 잘 씻습니다.
내가 하고 싶은 일은 뭐든지 다 해 주는
고마운 손[手], 선생님께 질문할 때도
위로 번쩍 손[手]이 올라갑니다.
오늘 배울 한자
手
손 수

공부한 날 月 日

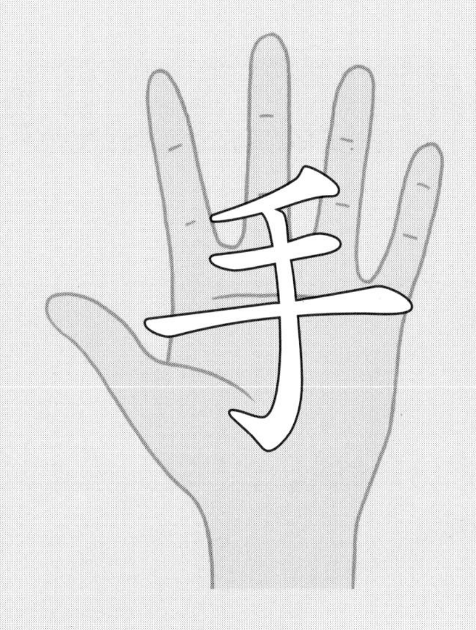

손 수

다섯 손가락을 편 모양을 나타낸 글자로, 손을 뜻해요. 또 손을 써서 일하는 **재주**나 **사람**을 뜻하기도 해요.

연하게 쓰인 한자를 따라 써 본 후, 빈칸에 바르게 쓰세요.

手	手	手	手
손 수	손 수	손 수	손 수
손 수	손 수	손 수	손 수

3주

3일
사람 한자

手 손 수

한자어를 익혀요

으아, 내일이 벌써 시험이라니!
으하하, 나는 이미 공부를 끝냈지.

우리 학교 전교 1등 경수 알지?
정말? 어떻게?

그 경수의 노트를 수중(手中)에 넣었단 말이지.
음하하하하

경수한테 빌렸는데, 나 같은 하수(下手)도 이해하기 쉽게 정리가 잘 되어 있더라고.

그럼 나도 경수한테 노트 좀 빌려야겠다! 경수야!
휙!

야, 그거 수동(手動)으로 여는 문이야!
쾅

'手(손 수)'가 들어간 한자어를 알아봅시다.

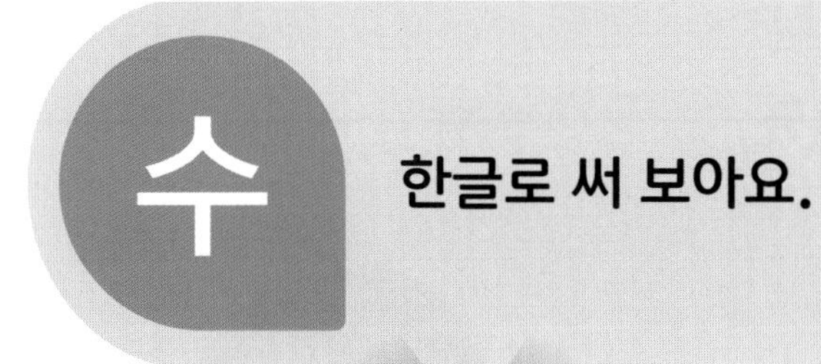

수
한글로 써 보아요.

手
한자로 써 보아요.

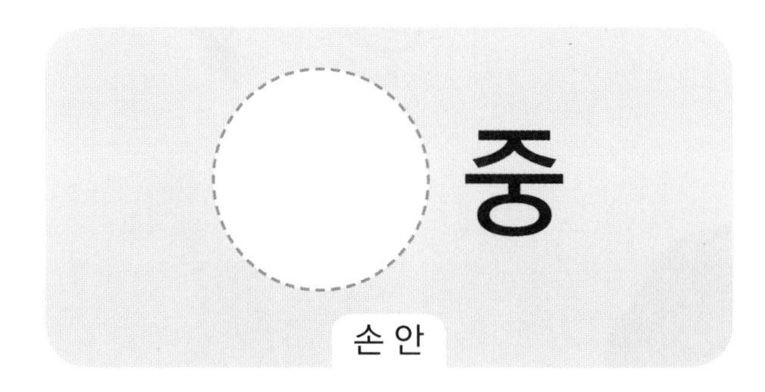

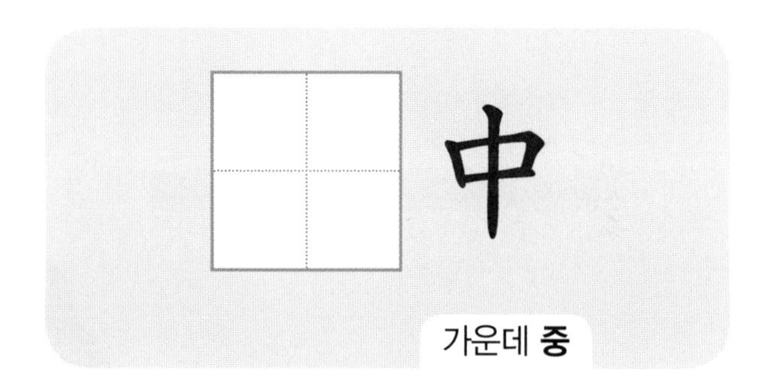

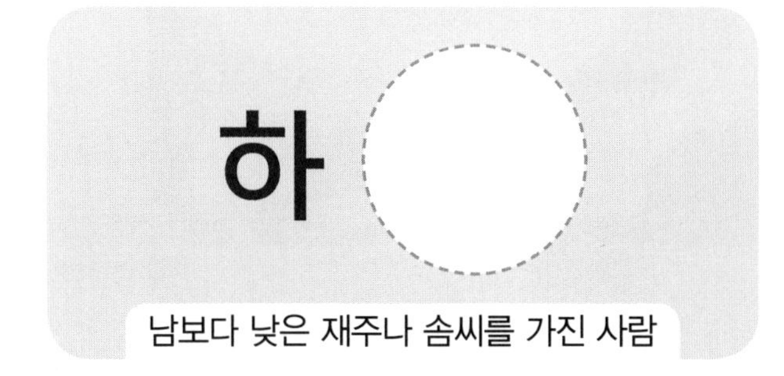

하
남보다 낮은 재주나 솜씨를 가진 사람

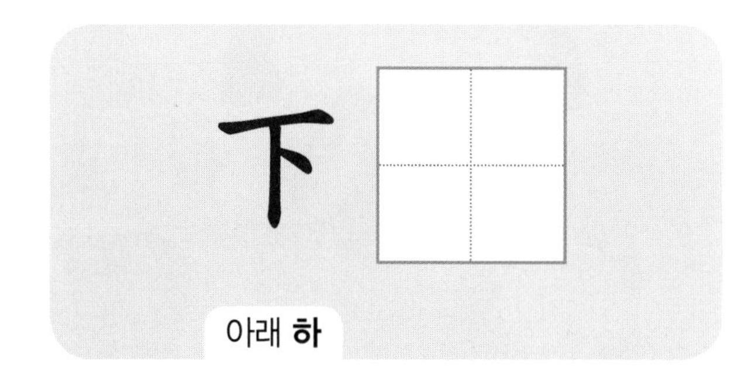

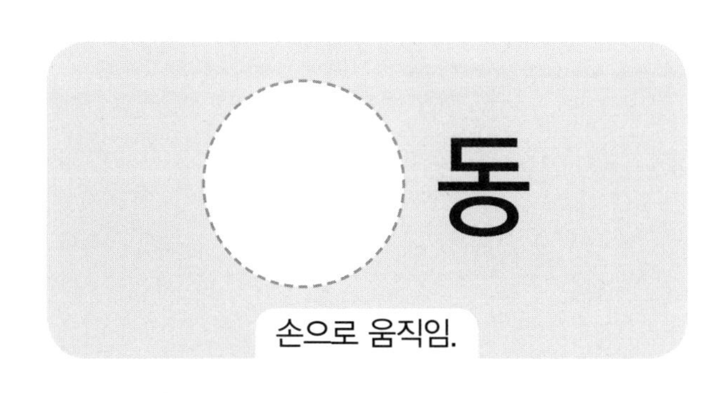

동
손으로 움직임.

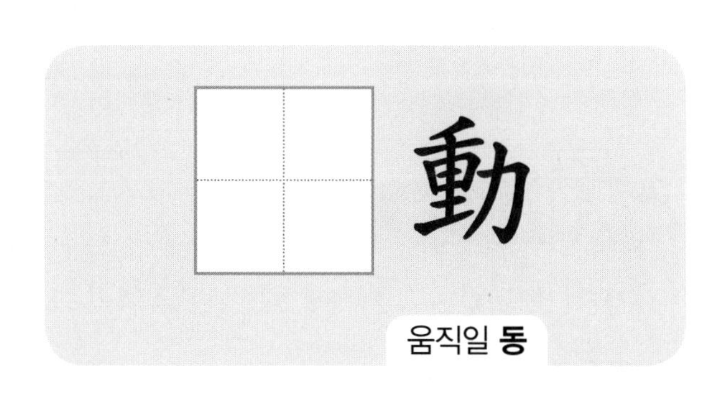

3주

手 손 수

기초 실력을 키워요

1 그림 속에 있는 한자의 뜻과 음(소리)을 보기 에서 찾아 그 번호를 쓰세요.

보기

① 사내 남　　② 장인 공　　③ 손 수

아하! 이렇게 푸는구나!

한자가 숨어 있는 그림(사내, 장인, 손)을 보면 그 뜻을 알 수 있어요.

2 다음 뜻에 해당하는 낱말을 찾아 선으로 이으세요.

남보다 낮은 재주나 솜씨를 가진 사람 •

• 수동

손으로 움직임. •

• 하수

3 다음 한자어의 음(소리)을 보기 에서 찾아 그 번호를 쓰세요.

보기

① 수중 ② 하수 ③ 수동

- 手中 → (　　　　　)

4 다음 밑줄 친 말에 해당하는 한자를 보기 에서 찾아 그 번호를 쓰세요.

보기

① 工 ② 男 ③ 手

- 우리 <u>손</u>에는 많은 세균이 묻어 있어 자주 씻어야 합니다. → (　　　　　)

足 발 족

다음 글을 읽고, 오늘 배울 한자를 확인해 보세요.

오랜만에 덕수궁에 갔습니다.
마침 수문장 교대 의식이 열리고 있었습니다.
옛날 옷을 똑같이 차려입은 수문장 아저씨들,
어쩌면 저렇게 발[足]을 척척 맞출까요?
나도 따라 발[足]맞추어 걸어 보고 싶어요.

공부한 날 月 日

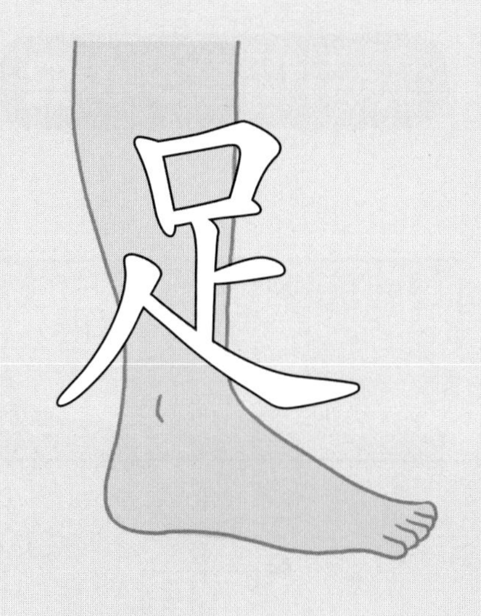

발 족

무릎에서 발끝까지의 모양을 나타낸 글자로, 발을 뜻해요.

연하게 쓰인 한자를 따라 써 본 후, 빈칸에 바르게 쓰세요.

3주

足 발 족

한자어를 익혀요

이크, 덕수궁 답사 숙제를 놓고 왔어! 다시 집에 갔다 와야겠다!

집에 다시 다녀오려면 시간이 부족(不足)하지 않겠어?

선생님께 혼나는 것보다야 낫지.

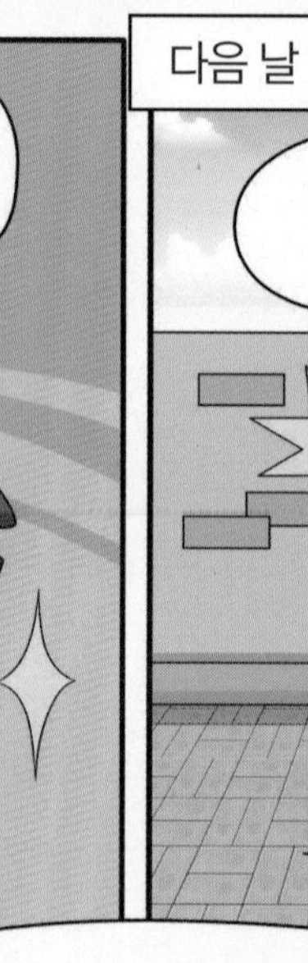

어휴, 결국 지각하는 바람에 수족(手足)만 고생하고 선생님께 혼났네.

다음부턴 절대 이런 실수 안 할 거야.

앗! 오늘은 준비물을 놓고 왔다!

헉헉! 그래도 오늘은 지각은 안 했다.

다다음 날

헉, 또 숙제를 놓고 왔네. 나 잠깐 집에 다녀올게!

어째, 달리기 실력만 장족(長足)의 발전을 하는 것 같단 말이지.

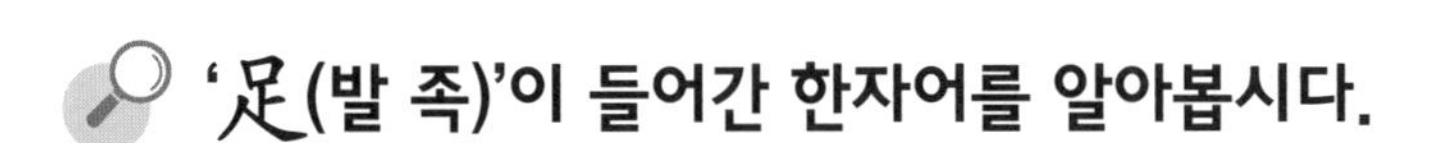

'足(발 족)'이 들어간 한자어를 알아봅시다.

한글로 써 보아요.

한자로 써 보아요.

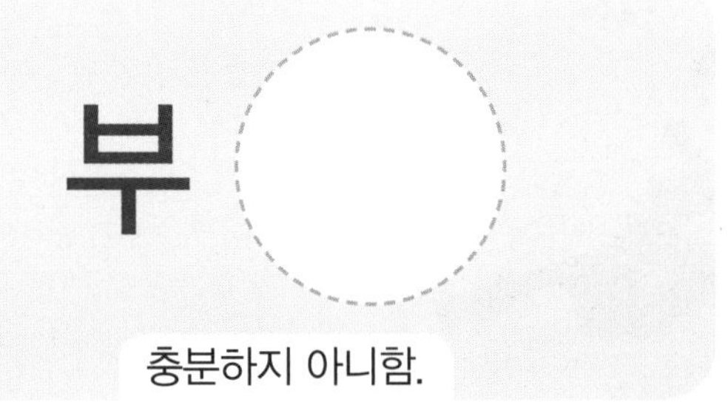

충분하지 아니함.

不
'不'자는 'ㄷ', 'ㅈ'으로 시작하는 말 앞에서는 '부'로 읽어요. (예 부당, 부족)

아닐 **불**

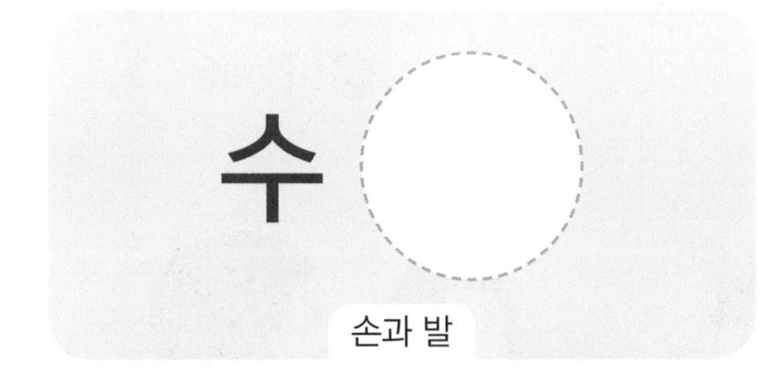

손과 발

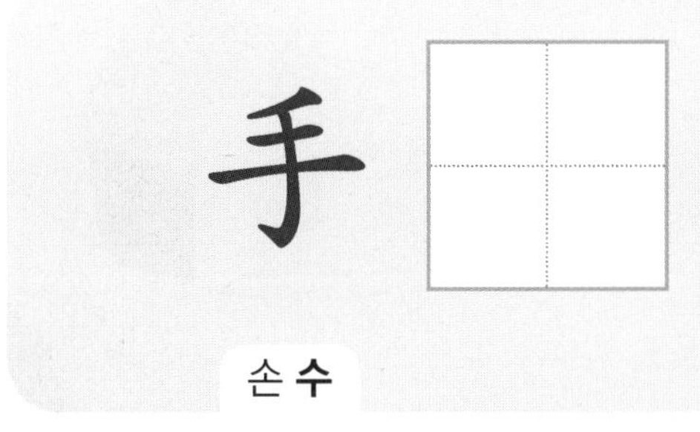

손 **수**

사물의 발전이나 진행이 매우 빠름.

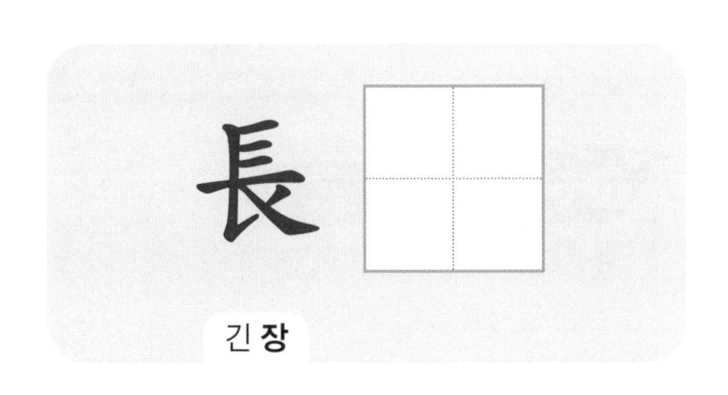

긴 **장**

足 발 족

기초 실력을 키워요

1 그림이 나타내는 한자를 보기 에서 찾아 그 모양과 뜻 또는 음(소리)을 쓰세요.

보기

手　　足

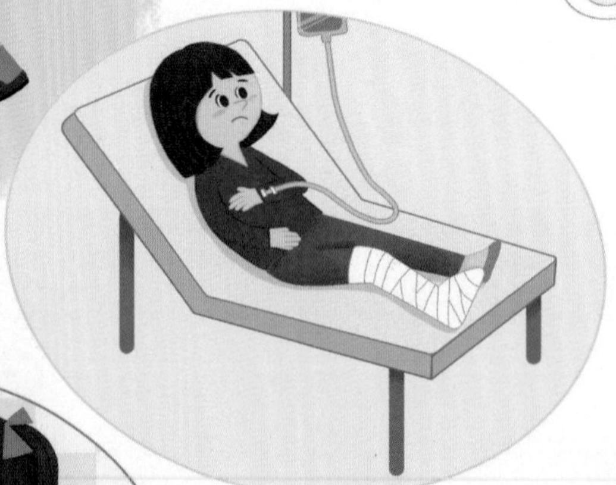

뜻: (발)
음: (　　)

뜻: (　　)
음: (수)

아하! 이렇게 푸는구나!

手는 '손 수', 足은 '발 족' 자예요. 무릎에서 발끝까지의 모양을 나타낸 글자와 다섯 손가락을 편 모양을 본뜬 글자를 찾아보세요.

2 ◯에 알맞은 글자를 넣어 낱말을 만드세요.

충분하지 아니함.

부◯

사물의 발전이나 진행이 매우 빠름.

장◯

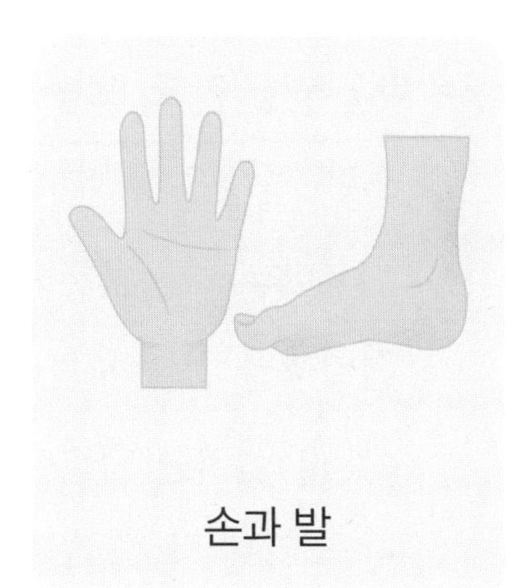

손과 발

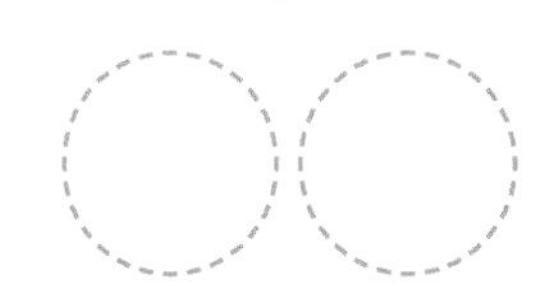

급수 유형

3 다음 밑줄 친 한자의 음(소리)을 보기 에서 찾아 그 번호를 쓰세요.

보기

① 족　　② 수　　③ 공

- 친구들과 놀다 보면 늘 공부 시간이 부足합니다. → (　　　　)

급수 유형

4 다음 뜻에 알맞은 한자를 보기 에서 찾아 그 번호를 쓰세요.

보기

① 手　　② 足　　③ 工

- 발 → (　　　　)

自 스스로 자

다음 글을 읽고, 오늘 배울 한자를 확인해 보세요.

도로에는 자(自)동차가 참 많습니다.
건널목을 건널 때는 좌우를 잘 살펴보고 건넙니다.
자(自)전거는 내려서 끌고 갑니다.
나도 이제 자(自)립할 나이가 된 만큼
안전 생활을 실천할 것입니다.

공부한 날 月 日

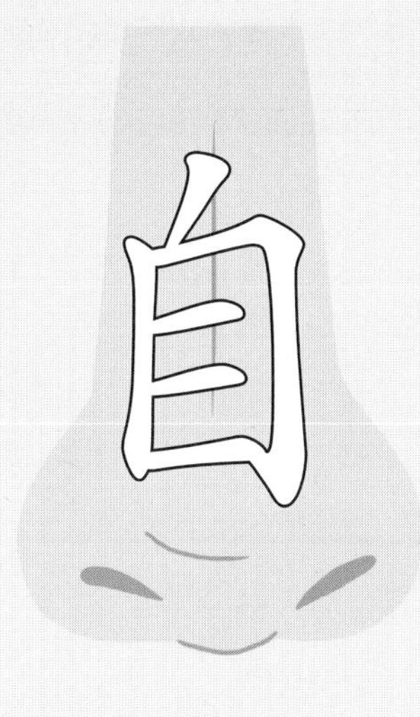

스스로 자

사람의 코 모양을 본뜬 글자로, 자기를 말할 때 코를 가리킨 데서 스스로라는 뜻을 가지게 되었어요.

연하게 쓰인 한자를 따라 써 본 후, 빈칸에 바르게 쓰세요.

自	自	自	自
스스로 자	스스로 자	스스로 자	스스로 자
스스로 자	스스로 자	스스로 자	스스로 자

3주

自 스스로 자

한자어를 익혀요

엄마, 나도 이제
자립(自立)할
나이라고요.

그러니까 내 방
만들어 주세요!

좋아, 까짓것
만들어 주지!

우아, 드디어
나만의 공간이 생겼다!
신난다!

며칠 후

어라, 이상하다? 집은 깨끗한데
내 방은 왜 이렇게 지저분하지?

집은 뭐 자동(自動)으로
깨끗해지는 줄 아니?

자립도 했으니 방 정리는 당연히
자력(自力)으로 해야지!
윽!

'自(스스로 자)'가 들어간 한자어를 알아봅시다.

한글로 써 보아요.

한자로 써 보아요.

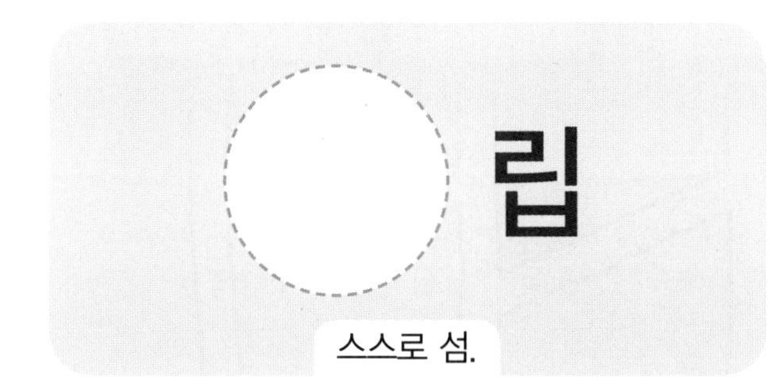

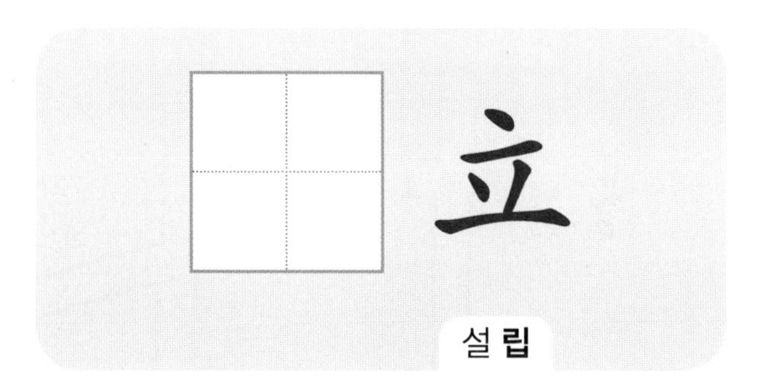

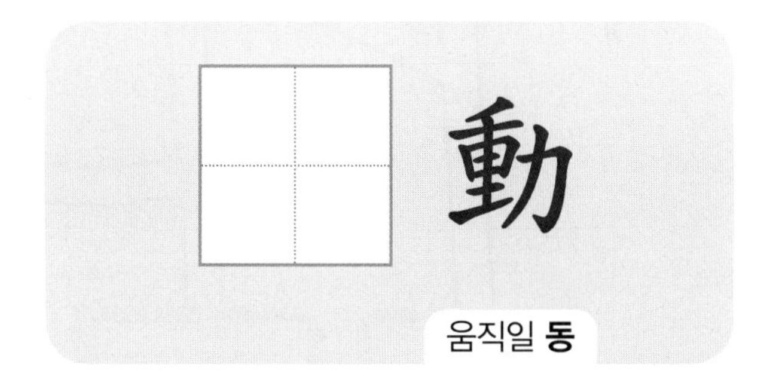

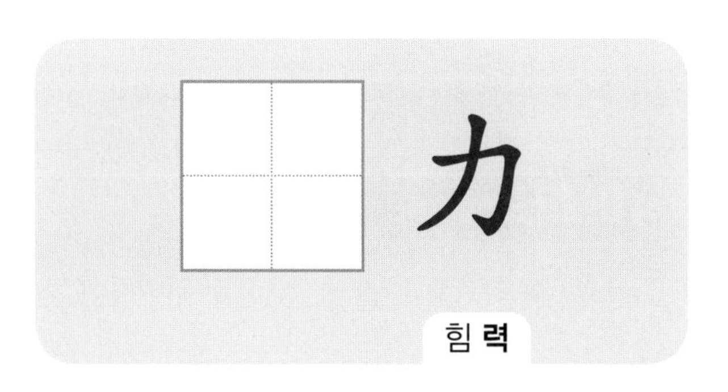

自 스스로 자

기초 실력을 키워요

1 한자의 뜻과 음(소리)을 찾아 사다리를 타고 내려가 빈칸을 채워 보세요.

아하! 이렇게 푸는구나!

사다리 위 한자에서 '손 수', '스스로 자', '장인 공'을 찾아보세요.

어휘 확인

2 다음 뜻에 해당하는 낱말을 찾아 선으로 이으세요.

급수 유형

3 다음 뜻에 알맞은 한자를 보기 에서 찾아 그 번호를 쓰세요.

보기

① 自 ② 足 ③ 手

- 스스로 → (   )

급수 유형

4 다음 밑줄 친 한자의 음(소리)을 쓰세요.

선생님 말씀에 귀를 기울이면
성적도 自동으로 올라가지요.

→ (   )

3주 누구나 100점 TEST

1 다음 한자의 뜻과 음(소리)이 올바른 것에 각각 ○표 하세요.

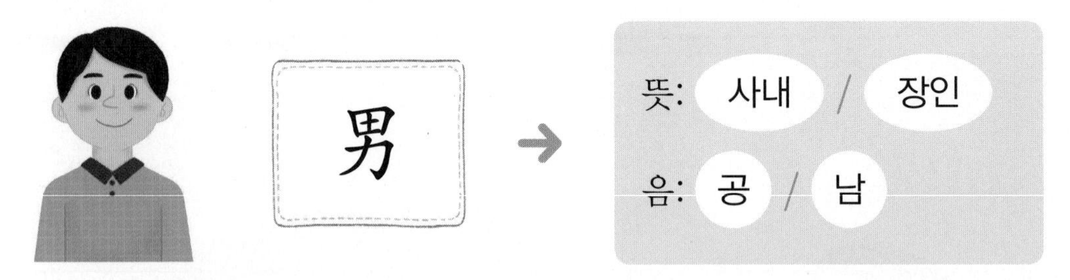

2 다음 그림이 나타내는 한자를 찾아 선으로 이으세요.

3 다음 밑줄 친 한자어의 음(소리)을 쓰세요.

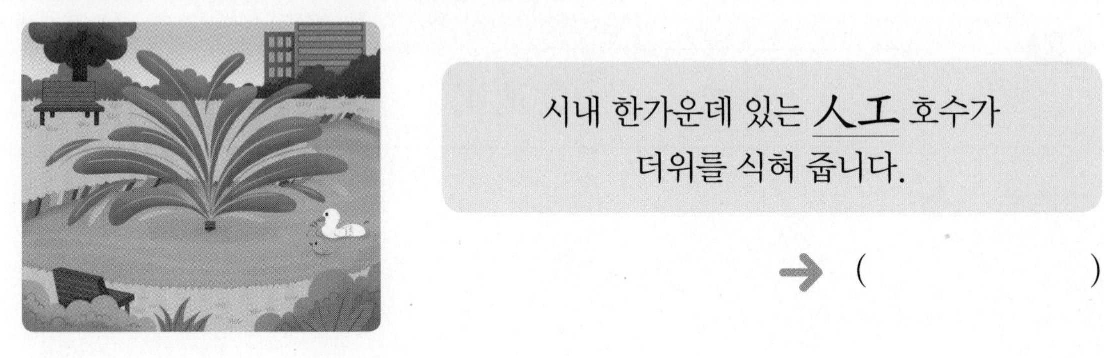

시내 한가운데 있는 人工 호수가
더위를 식혀 줍니다.
→ (   )

4 다음 뜻에 알맞은 한자를 보기 에서 찾아 그 번호를 쓰세요.

보기
① 男　② 工　③ 自

• 장인 → (   )

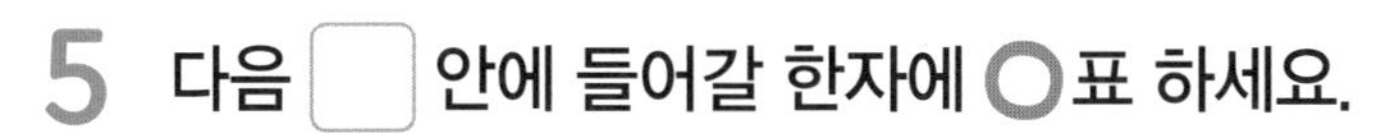

5 다음 ☐ 안에 들어갈 한자에 ○표 하세요.

종소리와 함께 ☐ 자아이들은
우르르 몰려나갔습니다.

男 / 工

6 다음 한자의 음(소리)을 보기 에서 찾아 그 번호를 쓰세요.

보기
① 수　　② 족　　③ 남

- 手 → (　　　　)

7 다음 밑줄 친 말에 해당하는 한자를 보기 에서 찾아 그 번호를 쓰세요.

보기
① 手　　② 自　　③ 工

- 지구는 스스로 회전하면서 태양 주위를 돕니다. → (　　　　)

8 다음 뜻에 해당하는 한자어를 찾아 선으로 이으세요.

사물의 발전이나 진행이 매우 빠름. •	• 手足(수족)
	• 長足(장족)

3주 특강 생각을 키워요 1

국어+한문 **다음 만화를 읽고, 성어의 뜻을 생각해 보세요.**

自 手 成 家
스스로 자 손 수 이룰 성 집 가

너 아직도 게임하고 있니?

게임을 많이 해 봐야 좋은 게임을 만들 수 있거든요.
전 게임 개발자가 될 거란 말예요.

핑계는…….
엄마, 작은아빠 말씀 못 들었어요? 작은아빠 어렸을 때도 맨날 장난감만 가지고 논다고 식구들이 걱정했었다잖아요.
근데 작은아빠는 지금 큰 공장을 가진 장난감 회사 사장님이 되셨잖아요.

◆ **성어의 뜻을 살펴보며 빈칸에 알맞은 한자를 채우세요.**

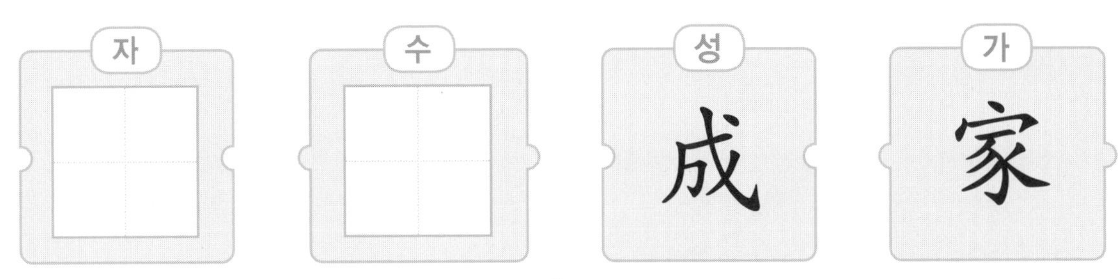

→ '물려받은 재산 없이 스스로의 힘으로 일가를 이루다.'라는 뜻으로, 스스로의 힘으로 사업을 이룩하거나 큰 일을 이룸을 이르는 말

코딩+한문 다음 명령어의 순서에 따라 장을 보려고 합니다. 명령어를 잘 보고, 물음에 답하세요.

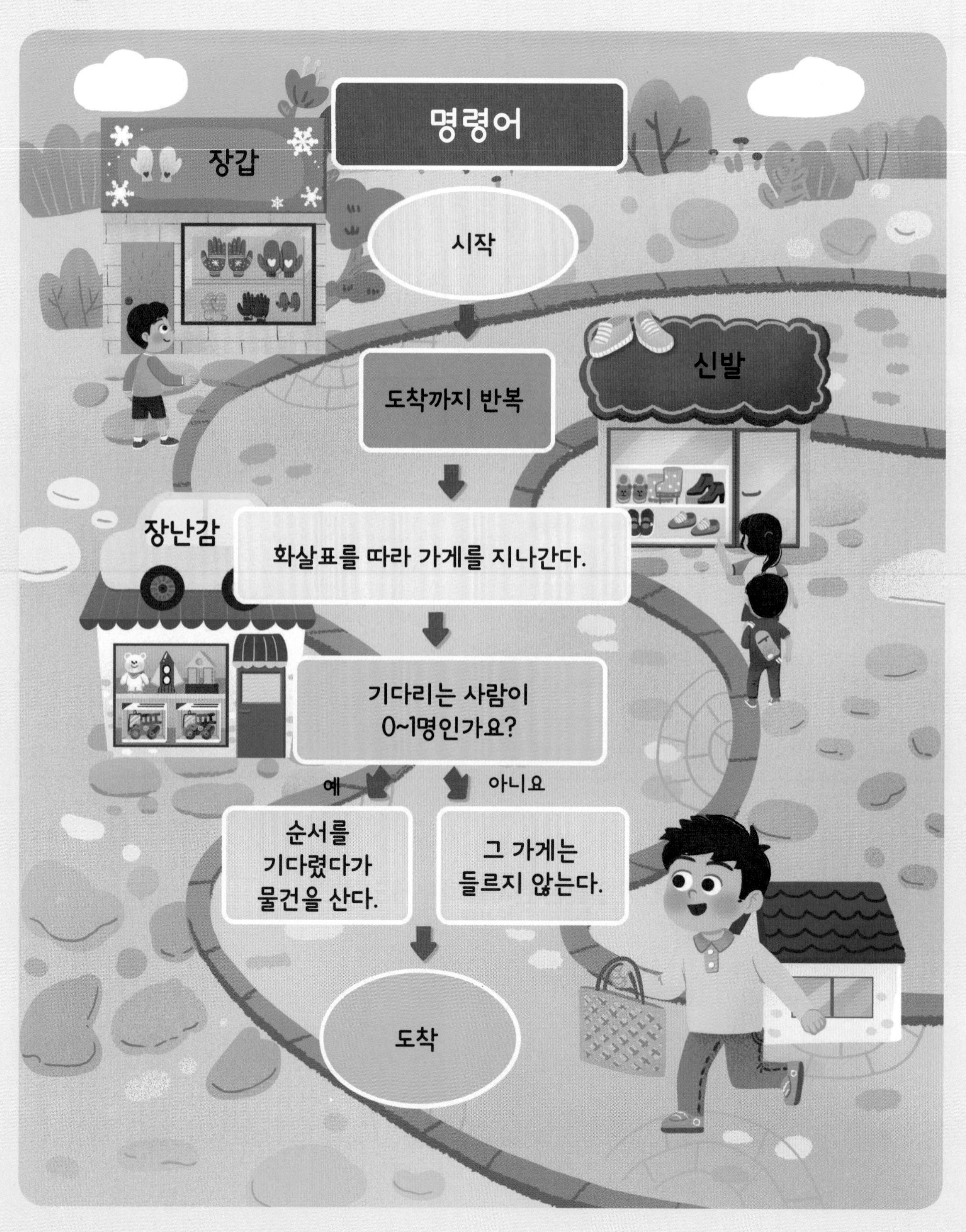

◐ 정답 16쪽

1 벼리가 들른 가게에 ✔표 하고, 해당 가게의 간판 속 한자의 뜻과 음(소리)을 (　　) 안에 쓰세요.

3주

생각을 키워요 3

창의·융합·코딩

수학+한문 **다음 표를 보고 물음에 답하세요.**

참	문제	거짓
5	'男' 자는 '남자'를 뜻한다.	3
9	'손'을 나타내는 한자는 '足'이다.	5
7	'工' 자는 뜻이 '장인', 음(소리)이 '공'이다.	8
4	'발 없는 말이 천리를 간다.'라는 속담의 '발'을 한자로 나타내면 '手'이다.	9
3	'자동(自動)'은 '스스로 작동함.'이라는 뜻이다.	4

◐ 정답 16쪽

1 위 표에서 문제의 내용이 맞으면 '참', 틀리면 '거짓'의 숫자를 선택하여 ○표 하세요.

2 문제의 내용이 '거짓'인 것을 찾아 바르게 고쳐 써 보세요.

문제
• '손'을 나타내는 한자는 '足'이다. → '손'을 나타내는 한자는 ☐ 이다.
• '발 없는 말이 천리를 간다.'라는 속담의 '발'을 한자로 나타내면 '手'이다. → '발 없는 말이 천리를 간다.'라는 속담의 '발'을 한자로 나타내면 ☐ 이다.

3 '참'을 선택한 수를 더한 값에서 '거짓'을 선택한 수를 더한 값을 빼면 얼마인지 쓰세요.

답 ______

3주

4주에는 무엇을 공부할까? ❶

체험 안내 포스터

- 하늘을 나는 듯 生生한 느낌!
- 피곤한 氣운도 한 방에 싹!
- 짜릿한 活動을 즐기는 당신이라면!

이번 주에는 어떤 한자를 공부할까?

1일 氣 기운 기

2일 力 힘 력

3일 生 날 생

4일 活 살 활

5일 動 움직일 동

4주

4주에는 무엇을 공부할까? ②

이번 주에 배울 한자들이 그림 속에 숨어 있어요. 보기를 참고해서 한자를 찾아보세요.

보기

氣 기운 기 力 힘 력 生 날 생 活 살 활 動 움직일 동

◐ 정답 17쪽

氣 기운 기

다음 글을 읽고, 오늘 배울 한자를 확인해 보세요.

학교에서 돌아오는 길, 어제 놀이공원에서
활기(氣)에 차 있던 모습은 간 곳 없고, 자꾸만 어깨가 처집니다.
좋아했던 친구가 전학을 간다고 하니 아쉬운 마음을 감출 수 없습니다.
그러나 자주 만나기로 했으니, 기운[氣]을 내 봅니다.

공부한 날 月 日

氣 기운 기

밥을 지을 때 나는 수증기가 올라가는 모습을 나타낸 글자로, **기운**과 관련된 뜻이 있어요.

연하게 쓰인 한자를 따라 써 본 후, 빈칸에 바르게 쓰세요.

氣	氣	氣	氣
기운 기	기운 기	기운 기	기운 기
기운 기	기운 기	기운 기	기운 기

4주

1 일
사람 한자

氣 기운 기

한자어를 익혀요

요즘 캠핑이 인기(人氣)라는데 우리도 주말에 캠핑 가는 게 어때요?

좋죠. 친구와 헤어져 시무룩한 우리 아들 기분(氣分) 전환도 하고요.

캠핑이라고요? 싫어요, 싫어!
쏴아-

화장실도 불편하고, 벌레도 많고. 전 안 갈래요!

캠핑장
캠핑 싫다던 사람 어디 갔나요?
밖에 나오니 생기(生氣)가 넘치네요.

'氣(기운 기)'가 들어간 한자어를 알아봅시다.

한글로 써 보아요.

한자로 써 보아요.

어떤 대상에 쏠리는 많은 사람들의 높은 관심

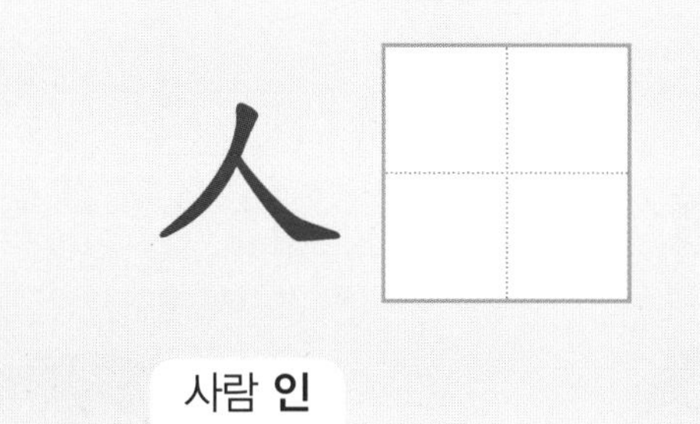

사람 **인**

유쾌함이나 불쾌함 따위의 감정

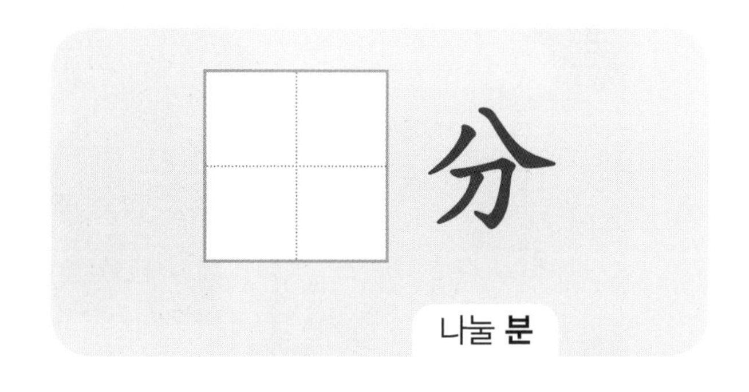

나눌 **분**

싱싱하고 힘찬 기운

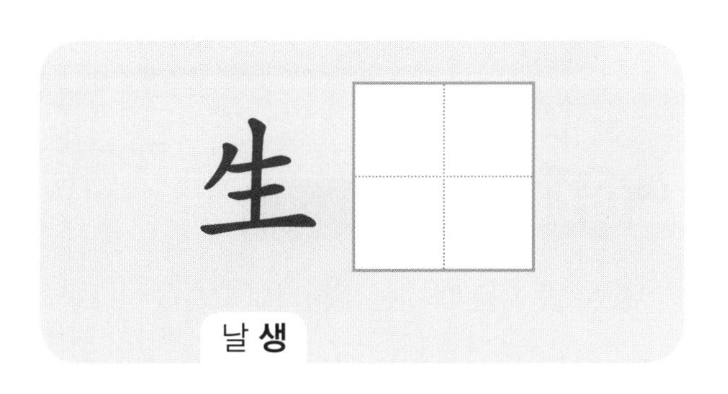

날 **생**

4주

氣 기운 기

기초 실력을 키워요

1 깃발에 새겨진 한자의 뜻과 음(소리)을 바르게 말한 친구를 찾아 ✔표 하세요.

아하! 이렇게 푸는구나!

'氣'는 밥 지을 때 나는 수증기의 모습을 나타낸 한자예요. 밥을 먹어야 기운을 낼 수 있어요.

◐ 정답 17쪽

기초 집중 연습

어휘 확인

2 다음 뜻에 해당하는 낱말을 찾아 ○표 하세요.

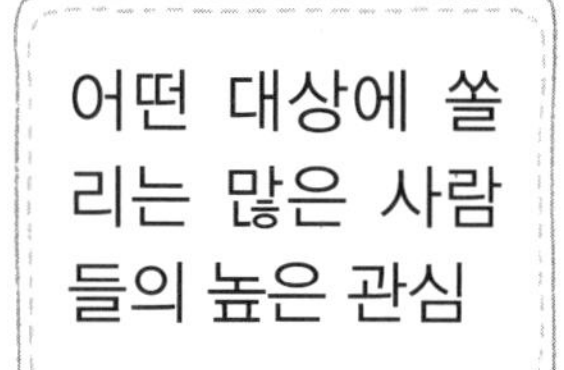

어떤 대상에 쏠리는 많은 사람들의 높은 관심

→

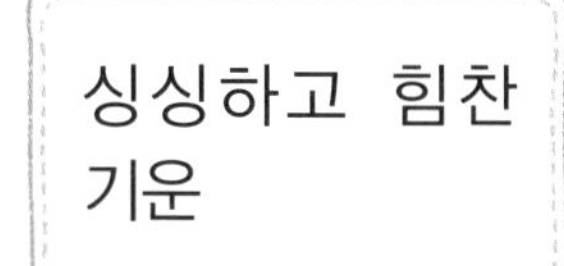

→

급수 유형

3 다음 밑줄 친 한자의 음(소리)을 쓰세요.

내 짝은 운동을 잘해서 인<u>氣</u>가 많습니다. → (　　　　　)

급수 유형

4 다음 한자의 뜻을 보기 에서 찾아 그 번호를 쓰세요.

보기

① 기운　　② 그릇　　③ 스스로

- 氣 → (　　　　　)

4주

力 힘 력

다음 글을 읽고, 오늘 배울 한자를 확인해 보세요.

벼리는 힘[力]이 셉니다.
형들하고 팔씨름을 해도 지지 않습니다.
하지만 힘[力]만 세지 머리 쓰는 건 나만 못합니다.
기운이 없어서 책가방을 들 수 없다고
내가 꾀를 부리면, 그것도 모르고 학교까지
내 책가방을 들어다 줍니다.

공부한 날 月 日

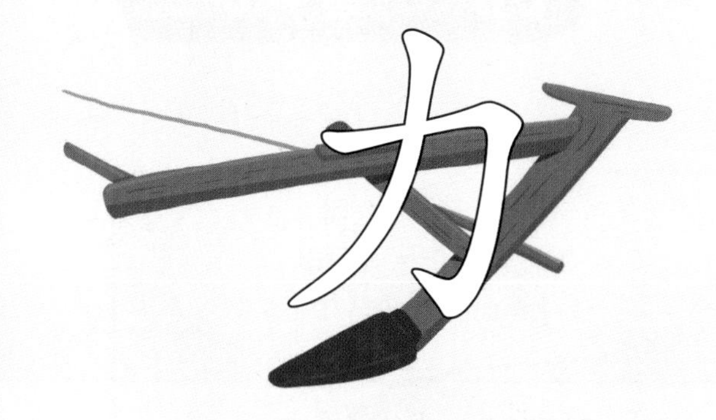

힘 력

밭을 가는 도구의 모양을 본뜬 글자로, 힘을 뜻해요.

연하게 쓰인 한자를 따라 써 본 후, 빈칸에 바르게 쓰세요.

力	力	力	力
힘 력	힘 력	힘 력	힘 력
힘 력	힘 력	힘 력	힘 력

4주

2일
사람 한자

力 힘 력

한자어를 익혀요

요새 기력(氣力)이 없어…….
그래, 너 피곤해 보인다. 책가방 이리 줘. 내가 들어줄게.

아빠가 그러시는데, 힘이 없을 때는 오히려 운동을 해야 힘이 난대.

체력은 국력(國力)이라고도 하잖아.
으, 다 귀찮아. 사람도 휴대 전화처럼 전력(電力)으로 충전되면 좋겠다.

그건 좀 곤란해.
왜?

찌릿
찌릿
맛있는 음식 대신 전기라니! 끔찍하잖아!
?

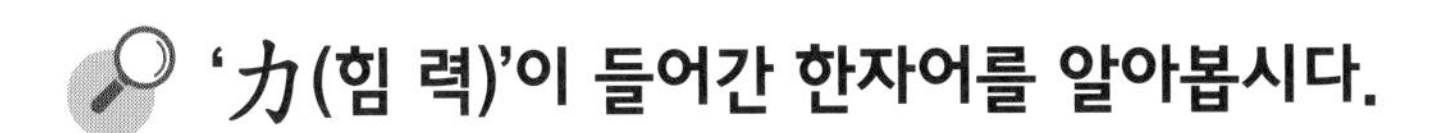

'力(힘 력)'이 들어간 한자어를 알아봅시다.

력 한글로 써 보아요.

力 한자로 써 보아요.

기 ( )

정신과 육체의 힘

氣

기운 **기**

국 ( )

한 나라가 지닌 힘

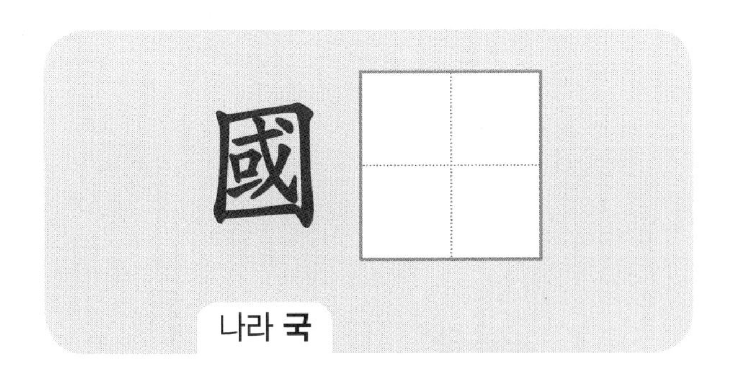

國

나라 **국**

전 ( )

전류가 단위 시간에 하는 일

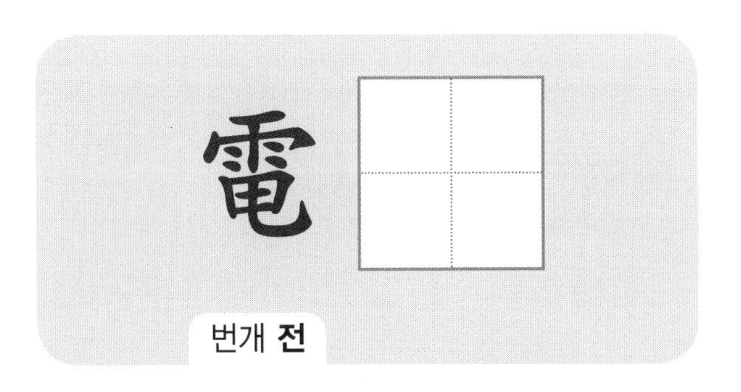

電

번개 **전**

2일
사람 한자

力 힘 력

기초 실력을 키워요

1 미로 속의 빈칸에 알맞은 말을 따라가 친구를 만나 보세요.

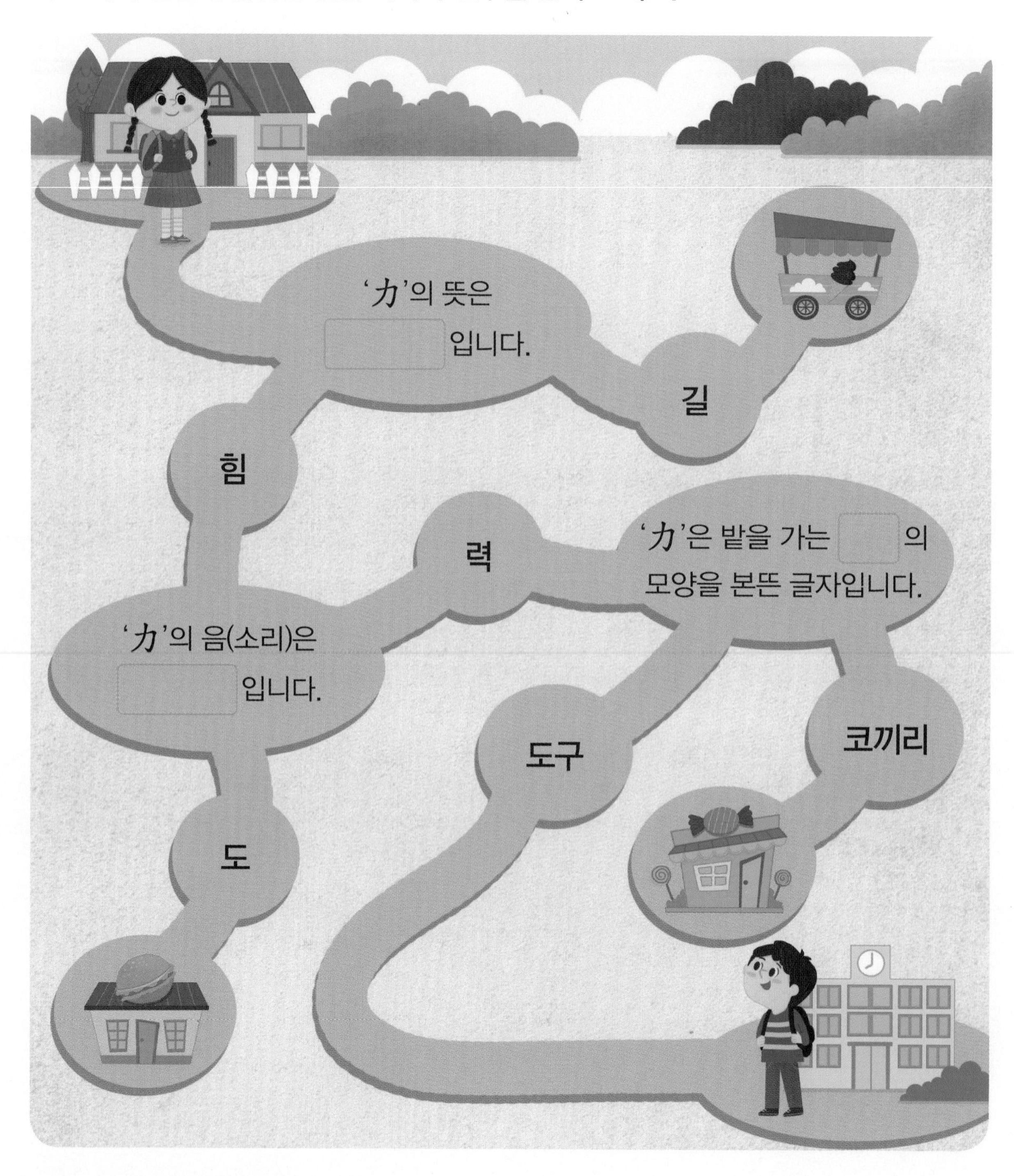
'力'의 뜻은
입니다.
길
힘
력
'力'은 밭을 가는 의
모양을 본뜬 글자입니다.
'力'의 음(소리)은
입니다.
도구
코끼리
도

아하! 이렇게 푸는구나!

'力(력)'은 밭을 가는 도구의 모양을 본뜬 글자로, '힘'을 뜻해요.

어휘 확인

2 다음 뜻에 해당하는 낱말을 찾아 선으로 이으세요.

정신과 육체의 힘

전류가 단위 시간에 하는 일

전력 기력

3 다음 밑줄 친 말에 해당하는 한자를 보기 에서 찾아 그 번호를 쓰세요.

보기
① 工 ② 力 ③ 自

• 우리 오빠는 힘이 셉니다. → ( )

4 보기 와 같이 다음 한자의 뜻과 음(소리)을 쓰세요.

보기
氣 → 기운 기

• 力 → ( )

生 날 생

다음 글을 읽고, 오늘 배울 한자를 확인해 보세요.

오늘은 내 생(生)일이에요.
할머니 할아버지께서 오셔서 축하해 주셨어요.
친구들도 모여서 조그만 파티를 했어요.
모두가 기뻐하며 좋아해 주니 정말 행복했어요.
절 낳아[生] 주신 엄마 아빠께 감사했어요.

공부한 날 月 日

날 생

땅 위에 새싹이 돋아나 자라는 모습을 본 뜬 글자로, **나다**, **살다**를 뜻해요.

연하게 쓰인 한자를 따라 써 본 후, 빈칸에 바르게 쓰세요.

生	生	生	生
날 생	날 생	날 생	날 생
날 생	날 생	날 생	날 생

4주

3일
행동 한자

生 날 생

한자어를 익혀요

내 생일(生日)에 놀이공원 가기로 했는데, 너도 같이 가지 않을래?
정말? 사실 지난번 보았던 새로운 놀이 기구가 눈앞에 생생(生生)하던 참이었어!

와 아~

며칠 후
와! 롤러코스터다!
너 무섭지 않아?

좀 무섭긴 하지만, 하늘에서 순간 이동하는 듯한 기분은 인생(人生) 최고야!

호호호. 그럼 다음 주에 또 오자!
꺄
아~
야호!
쌔
앵

'生(날 생)'이 들어간 한자어를 알아봅시다.

생 한글로 써 보아요.

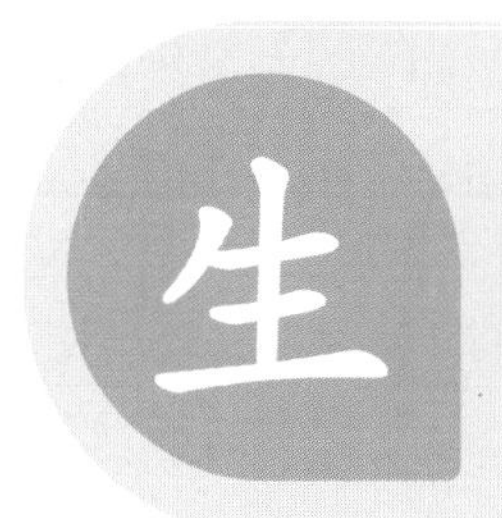

한자로 써 보아요.

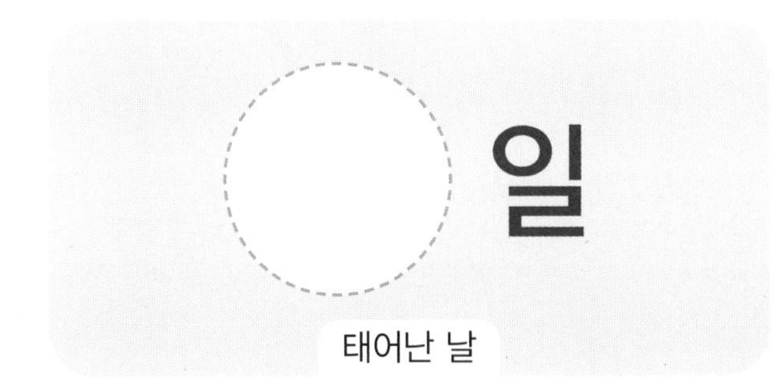

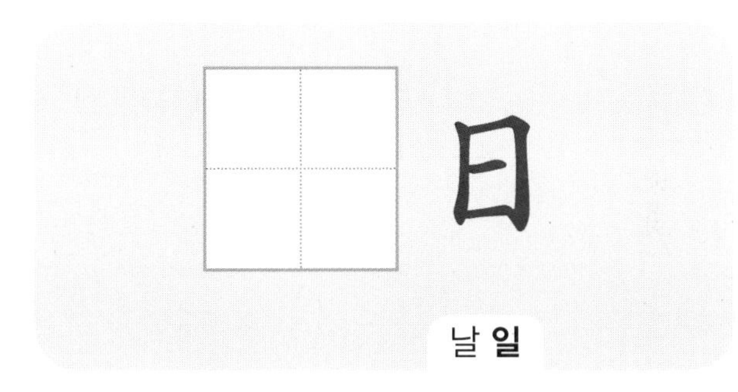

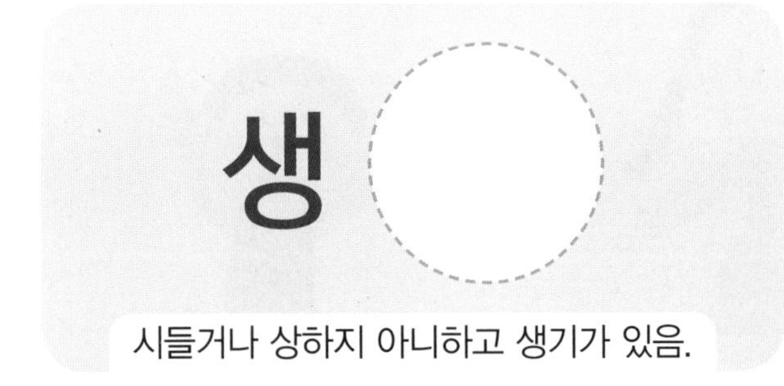

생
시들거나 상하지 아니하고 생기가 있음.

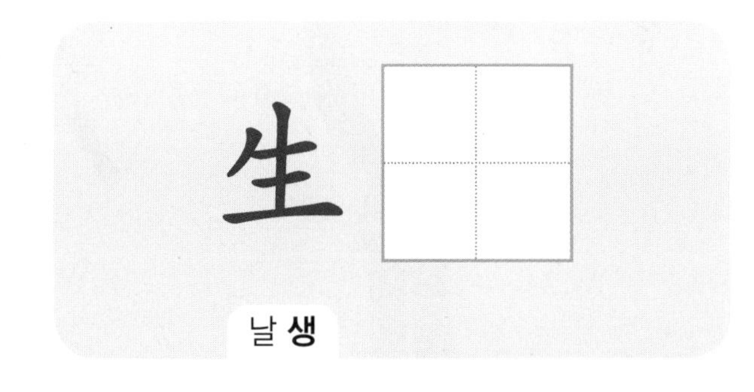

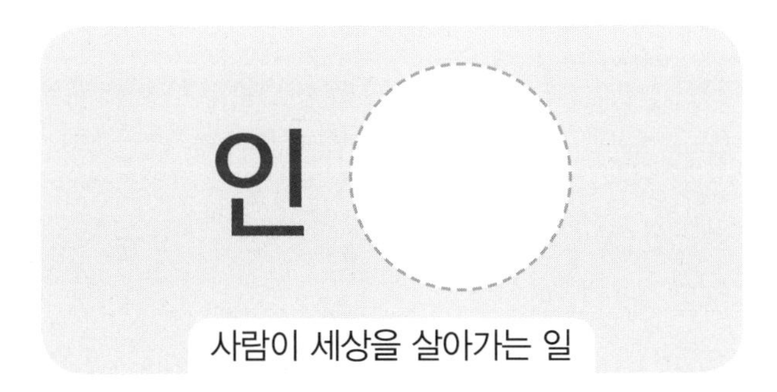

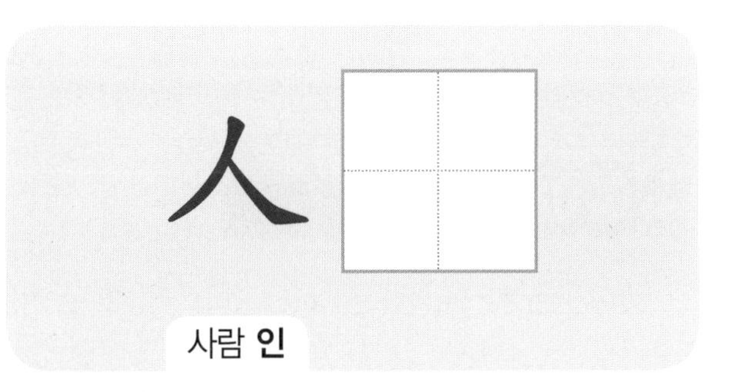

生 날 생

기초 실력을 키워요

1 다음 한자의 뜻과 음(소리)으로 알맞은 것을 찾아 선으로 이으세요.

아하! 이렇게 푸는구나!

'力(력)'은 힘, '生(생)'은 나다, 살다, '氣(기)'는 기운이라는 뜻을 가지고 있어요.

◐ 정답 18쪽

기초 집중 연습

어휘 확인

2 ◌에 알맞은 글자를 넣어 낱말을 만드세요.

태어난 날

일

시들거나 상하지 아니하고 생기가 있음.

생

급수 유형

3 다음 한자어의 음(소리)을 보기 에서 찾아 그 번호를 쓰세요.

보기

① 생기　　② 생일　　③ 인생

- 人生 → (　　　　　)

급수 유형

4 다음 밑줄 친 말에 해당하는 한자를 보기 에서 찾아 그 번호를 쓰세요.

보기

① 生　　② 力　　③ 日

- 어머니는 내가 태어나서 행복하다고 하십니다. → (　　　　　)

4주

活 살 활

다음 글을 읽고, 오늘 배울 한자를 확인해 보세요.

우리 집 강아지는 나만 보면 꼬리를 살랑살랑!
이리 펄쩍 저리 펄쩍! 언제나 활(活)기가 넘쳐요.
귀엽다고 쓰다듬어 주면
활(活)발하게 움직이던 몸을 뒤집고
재롱을 부리지요.

공부한 날 月 日

살 활

물이 힘차게 흘러가는 것을 나타낸 글자로, 살다를 뜻해요.

연하게 쓰인 한자를 따라 써 본 후, 빈칸에 바르게 쓰세요.

活	活	活	活
살 활	살 활	살 활	살 활
살 활	살 활	살 활	살 활

4주

4일
행동 한자

活 살 활

한자어를 익혀요

무슨 고민 있어?
이것 좀 봐.
매일 먹고 자기만 했더니, 부쩍 살이 쪘지 뭐야.
규칙적인 생활(生活)과 꾸준한 운동으로 본래의 내 모습을 되찾을 거야!
그런 의미에서 자전거를 타고 활기(活氣)차게 달려 볼까?
그래, 좋아!
너무 무리하는 거 아니야?
오늘 내 몸속의 살들을 모두 불태울 거야!
쌔애액
10분 후
아까의 활력(活力)은 다 어디로 간 거야?
쯧 쯧
헉 헉 헉

'活(살 활)'이 들어간 한자어를 알아봅시다.

한글로 써 보아요.

한자로 써 보아요.

일정한 환경에서 활동하며 살아감.

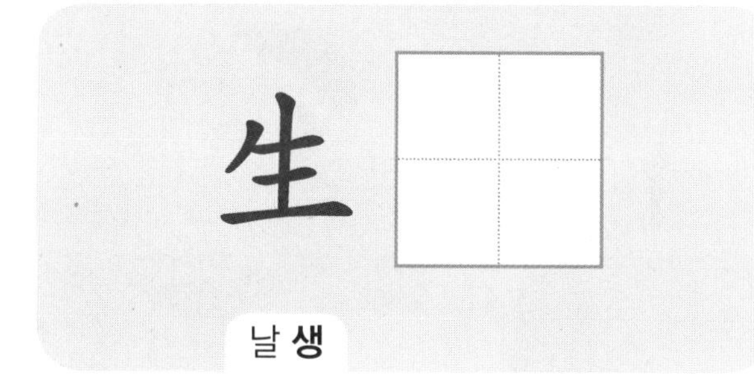

날 **생**

활동력이 있거나 활발한 기운

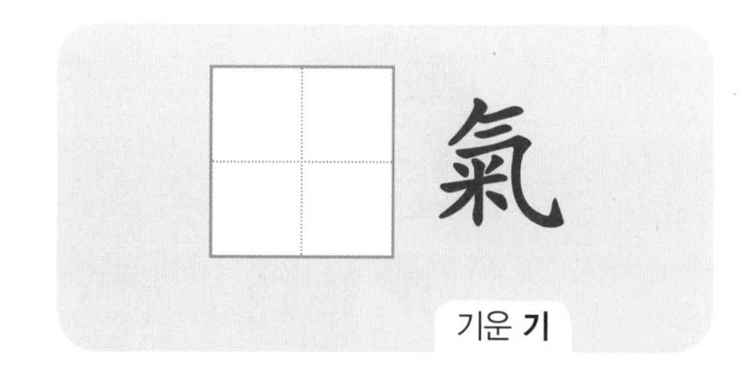

기운 **기**

살아 움직이는 힘

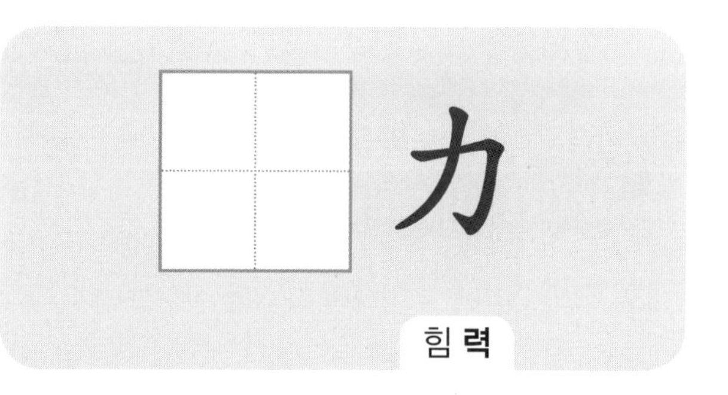

힘 **력**

4주

活 살 활

기초 실력을 키워요

1 그림 속에 숨어 있는 보기 의 한자를 찾아 ○표 하고, 그 뜻과 음(소리)을 쓰세요.

보기

活　　力　　生

아하! 이렇게 푸는구나!

한자의 모양에 유의하며 그림을 살펴보면서 '살 활', '힘 력', '날 생' 자를 찾아보세요.

◐ 정답 19쪽

어휘 확인

2 낱말판에서 설명 에 해당하는 낱말을 찾아 ○표 하세요.

설명

활동력이 있거나 활발한 기운

활	생	력
력	활	기
생	력	생

급수 유형

3 다음 밑줄 친 낱말에 해당하는 한자어를 보기 에서 찾아 그 번호를 쓰세요.

보기

① 生活 ② 活氣 ③ 活力

- 홀로 생활하고 계시는 어르신들을 돕기 위해 바자회를 열었습니다.

→ (　　　　　)

급수 유형

4 다음 한자의 뜻을 보기 에서 찾아 그 번호를 쓰세요.

보기

① 먹다 ② 살다 ③ 말하다

- 活 → (　　　　　)

4주

動 움직일 동

다음 글을 읽고, 오늘 배울 한자를 확인해 보세요.

지난 주말에는 로봇 과학관에 갔습니다.
스스로 움직이는[動] 로봇을 보니 신기했습니다.
단순한 노동(動)을 대신해 주는 로봇도 있고,
사람이 하기 어려운 일을 해내는 로봇도 있었습니다.
로봇과 함께 살아가는 세상이 온 것 같았습니다.

공부한 날 月 日

動

움직일 **동**

[무거운 물건을 힘써 옮기는 모습을 나타낸 글자로, **움직이다**를 뜻해요.]

연하게 쓰인 한자를 따라 써 본 후, 빈칸에 바르게 쓰세요.

動	動	動	動
움직일 **동**	움직일 **동**	움직일 **동**	움직일 **동**
움직일 **동**	움직일 **동**	움직일 **동**	움직일 **동**

4주

動 움직일 동

한자어를 익혀요

로봇 과학관에 오니까 신기한 게 정말 많다!
여기 동물(動物) 모양 로봇도 있어!

우리 주변의 발명품 중에는 자연물의 특성을 본뜬 게 많대.

최초의 동력(動力) 비행기도 독수리의 모습을 본뜬 거라잖아.

이런 로봇들은 해저 탐사나 인명 구조 활동(活動)에 사용되기도 한대!
인간을 돕는 로봇이라니, 멋있다!

나에게도 꼭 필요한 로봇이 있는데…….
헤헷~
그게 뭔데?

그건 바로 숙제 로봇!
척!
하여간 못 말려!

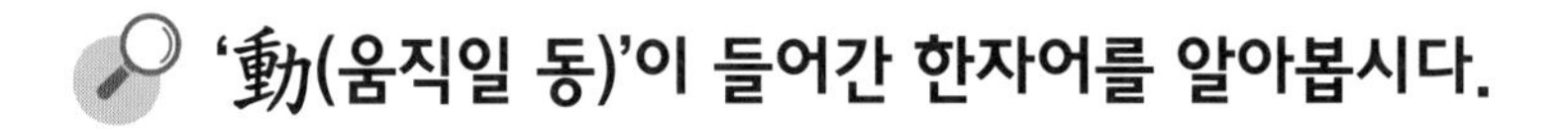

'動(움직일 동)'이 들어간 한자어를 알아봅시다.

동 한글로 써 보아요.

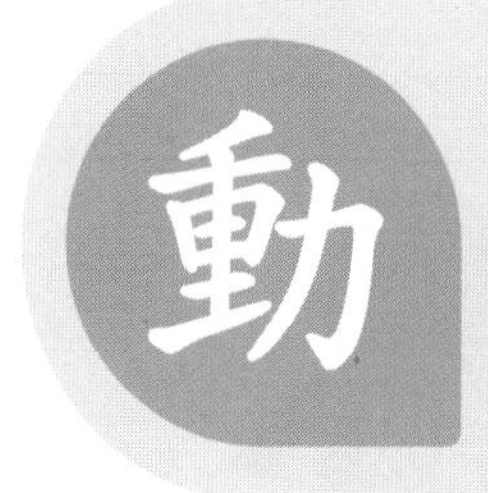

한자로 써 보아요.

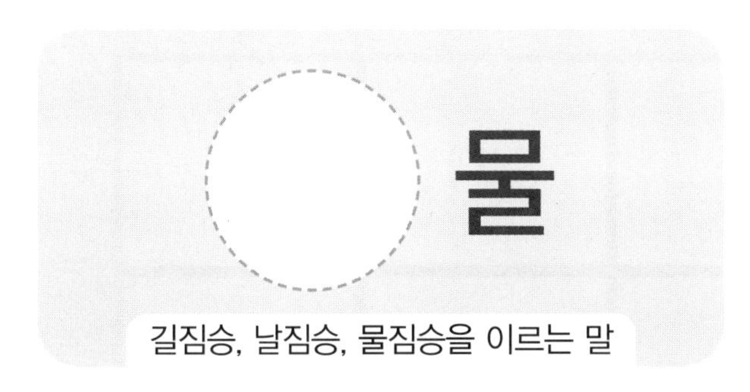

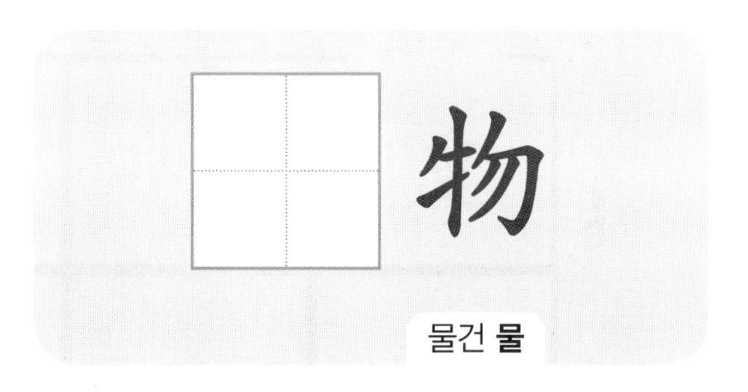

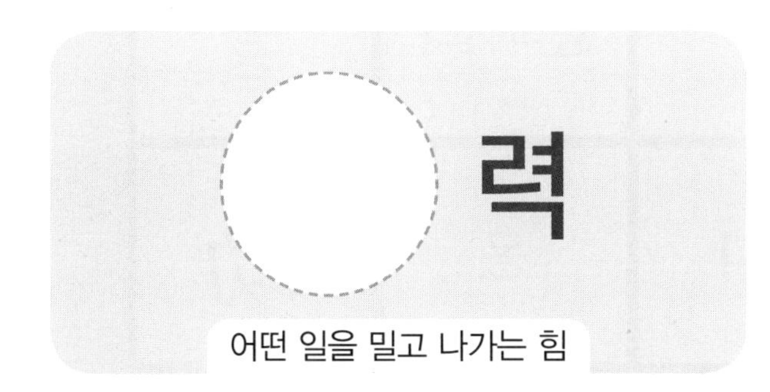

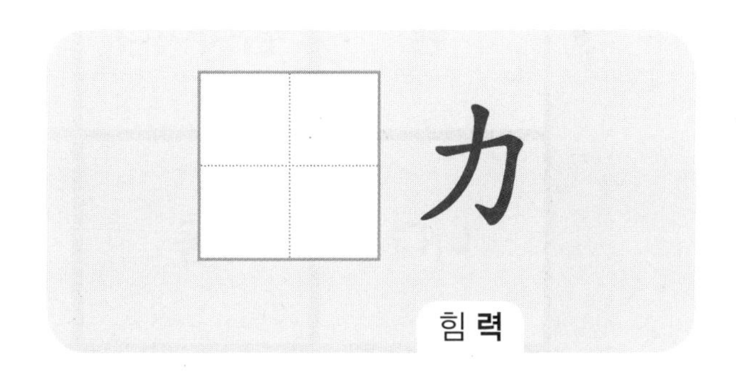

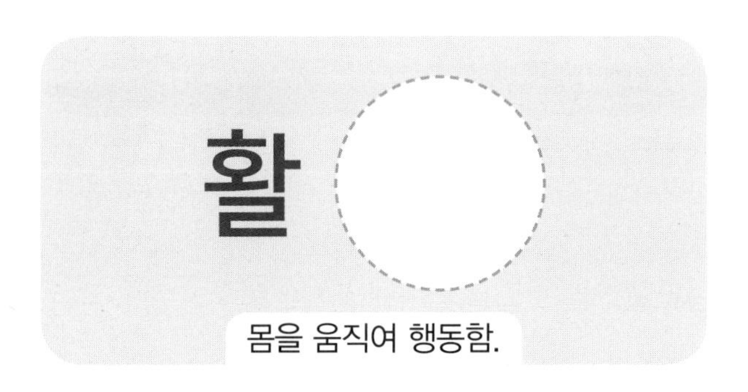

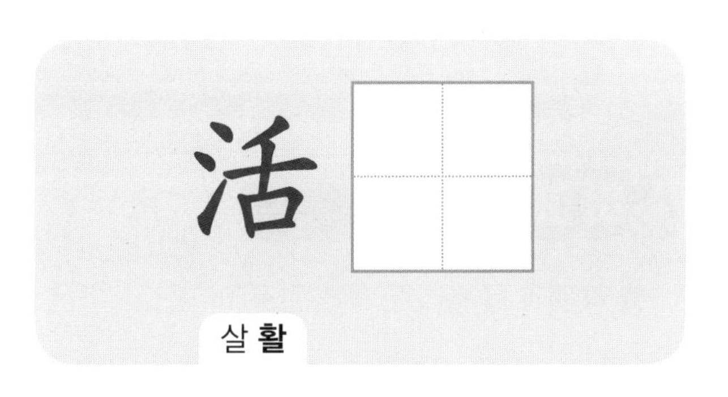

4주

動 움직일 동

기초 실력을 키워요

1 출발부터 도착까지 가로 또는 세로로 '動'의 뜻이나 음(소리)으로 이어지도록 해당 칸을 색칠하세요.

출발

動	움직이다	동	살다	생
살다	활	움직이다	활	나다
생	움직이다	동	움직이다	생
나다	동	살다	동	動

도착

아하! 이렇게 푸는구나!

動의 뜻과 음(소리)은 '움직일 동'이에요. 무거운 물건을 힘써 옮기는 모습을 나타낸 글자예요.

어휘 확인

2 다음에서 '動(움직일 동)'이 들어 있는 낱말을 찾아 ○표 하세요.

자동차　　동생　　동대문

급수 유형

3 다음 밑줄 친 말에 해당하는 한자를 보기 에서 찾아 그 번호를 쓰세요.

보기

① 活　　② 動　　③ 力

- 운동장을 세 바퀴 돌고 나자 힘이 빠져 <u>움직임</u>이 둔해졌습니다.

→ (　　　　　)

급수 유형

4 다음 뜻에 알맞은 한자어를 보기 에서 찾아 그 번호를 쓰세요.

보기

① 動力　　② 動物　　③ 活動

- 몸을 움직여 행동함.  (　　　　　)

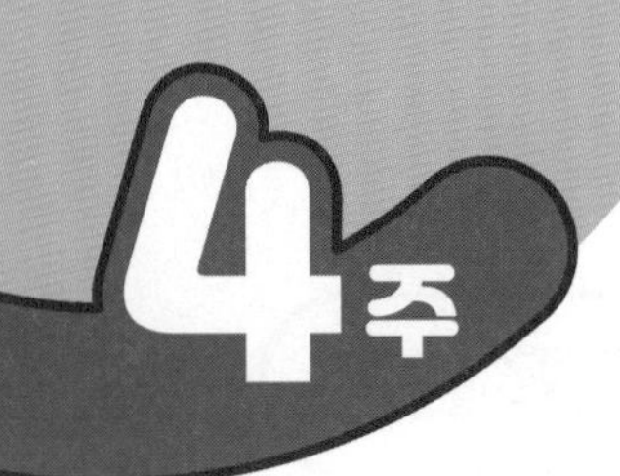

누구나 100점 TEST

1 다음 뜻에 해당하는 한자를 찾아 선으로 이으세요.

• 氣

• 力

2 다음 ☐ 안에 들어갈 한자에 ○표 하세요.

공부는 學☐이 당연히 해야 할 일입니다.

力 / 生

3 다음 뜻에 맞는 한자어를 보기 에서 찾아 그 번호를 쓰세요.

보기

① 電力　② 活力　③ 活氣

• 살아 움직이는 힘 → (　　　　　)

4 '動(동)'의 뜻으로 알맞은 것에 ✔표 하세요.

☐ 살다　　☐ 움직이다

5 다음 한자의 음(소리)을 보기 에서 찾아 그 번호를 쓰세요.

보기
① 기 ② 력 ③ 동

• 氣 → ( )

6 다음 밑줄 친 한자의 뜻으로 알맞은 것을 보기 에서 찾아 그 번호를 쓰세요.

보기
① 말하다 ② 놀다 ③ 나다

• 人生, 生日, 生生 → ( )

7 다음 밑줄 친 한자어의 음(소리)을 쓰세요.

규칙적인 生活을 하면 몸과 마음이 건강해집니다.

→ ( )

8 다음 밑줄 친 한자어를 보기 에서 찾아 그 번호를 쓰세요.

보기
① 生物 ② 動物 ③ 人物

• 대공원에 가면 많은 동물들을 볼 수 있습니다. → ( )

4주 특강 생각을 키워요 1

창의·융합·코딩

국어+한문 다음 만화를 읽고, 성어의 뜻을 생각해 보세요.

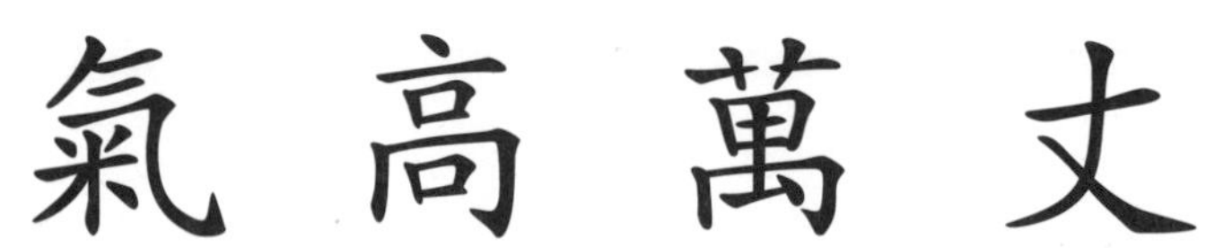

氣 高 萬 丈
기운 기 높을 고 일만 만 어른 장

다음 주 축구 시합 준비는 잘 되어 가니?
그럼. 나 같은 천재 스트라이커가 있는데 무슨 걱정이야!
아주 기고만장하구먼.
기고만장?

너무 우쭐대지 말란 말이야.

걱정하지 마. 내 실력 정도면 당연히 뽐내 줘야지. 난 천재니까! 음하하하!
왠지 불안한데…….

시합 당일
절대로 지지 않을 거야!
뻥~
!!!
아이고, 자책골을 넣으면 어떡해!

◆ 성어의 뜻을 살펴보며 빈칸에 알맞은 한자를 채우세요.

→ '펄펄 뛸 만큼 대단히 성이 남.'이라는 뜻으로, 일이 뜻대로 잘될 때 우쭐하여 뽐내는 기세가 대단함을 이르는 말

생각을 키워요 ②

코딩+한문 다음 조건에 맞게 메뉴를 고를 때, 알맞게 차려진 그림을 찾아 ✓표 하세요.

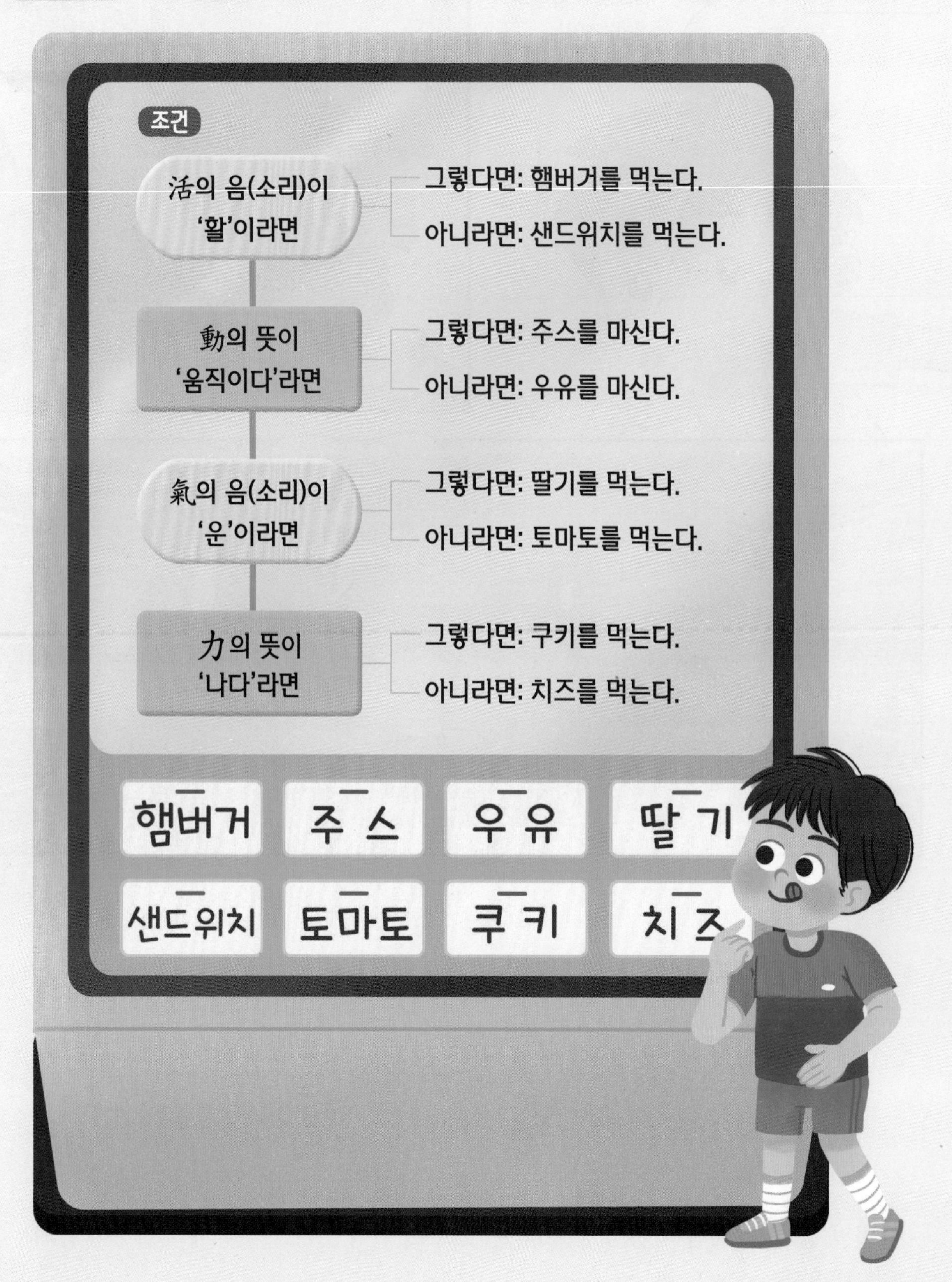

조건
活의 음(소리)이 '활'이라면
그렇다면: 햄버거를 먹는다.
아니라면: 샌드위치를 먹는다.
動의 뜻이 '움직이다'라면
그렇다면: 주스를 마신다.
아니라면: 우유를 마신다.
氣의 음(소리)이 '운'이라면
그렇다면: 딸기를 먹는다.
아니라면: 토마토를 먹는다.
力의 뜻이 '나다'라면
그렇다면: 쿠키를 먹는다.
아니라면: 치즈를 먹는다.
햄버거
주스
우유
딸기
샌드위치
토마토
쿠키
치즈

4 주

생각을 키워요 ③

체육+한문 개구리 가위바위보 놀이를 하며 다음 물음에 답해 보세요.

• 준비물: 편한 복장과 운동화 • 인원: 제한 없음.

규칙

1. 진행자 한 명은 도착점에 서고, 나머지 사람은 출발선에 나란히 섭니다.
2. 각자 위치에서 모두 함께 가위바위보를 합니다.
3. 가위바위보 승패에 따라 개구리처럼 점프하여 움직입니다.
   - 이기면 앞으로 두 번 이동
   - 지면 뒤로 두 번 이동(출발선에 있으면 제자리)
   - 비기면 제자리
4. 가장 먼저 도착점에 도달하는 사람이 이깁니다.

1 다음 글을 읽고, 밑줄 친 한자어의 음(소리)을 쓰세요.

체력이란 몸을 움직이는 힘이나 질병을 이길 수 있는 능력을 말합니다. 체력이 좋으면 일상적인 (1) 活動을 하는 데 쉽게 지치지 않을 수 있고, 질병에 걸리더라도 빠르게 건강을 회복할 수 있습니다. 꾸준한 운동과 올바른 (2) 生活 습관을 실천하면 체력을 기를 수 있습니다.

답 (1) ______ (2) ______

◐ 정답 21쪽

2 다음 상황에서 여자 어린이가 도착할 칸으로 알맞은 한자에 ○표 하고, 해당 한자의 뜻과 음(소리)을 쓰세요.

답

3 두 어린이의 대화에서 밑줄 친 말에 해당하는 한자를 쓰세요.

개구리 가위바위보 놀이를 했더니 다리 근육의 (1) 힘이 더 세진 것 같아.

오랜만에 맘껏 뛰었더니 (2) 기운이 펄펄 나.

답 (1) (2)

7급Ⅱ 급수 시험 맛보기 1회

[문제 1~5] 다음 밑줄 친 漢字語한자어의 音(음: 소리)을 쓰세요.

보기

漢字 → 한자

1 아침 일찍 일어나 오늘도 하루를 活氣차게 시작합니다. (　　　　)

2 연휴를 맞아 父母님과 함께 여행을 갔습니다. (　　　　)

3 그는 이번 시험 결과에 自足하였습니다. (　　　　)

4 우리들은 의좋은 兄弟입니다. (　　　　)

5 하늘 높이 女子아이들의 웃음소리가 퍼집니다. (　　　　)

[문제 6~9] 다음 漢字한자의 訓(훈: 뜻)과 音(음: 소리)을 쓰세요.

보기

字 → 글자 자

6 家 (　　　　)

7 男 (　　　　)

8 名 (　　　　)

9 力 (　　　　)

[문제 10~11] 다음 밑줄 친 漢字語한자어를 보기에서 골라 그 번호를 쓰세요.

보기

① 子女　② 兄弟
③ 活動　④ 活氣

10 우리는 매주 봉사 활동을 합니다. (　　　　)

11 선생님의 자녀들도 봉사 활동에 참여하였습니다. (　　　　)

[문제 12~14] 다음 訓(훈: 뜻)과 音(음: 소리)에 맞는 漢字한자를 보기 에서 골라 그 번호를 쓰세요.

보기
① 手 ② 孝 ③ 父 ④ 動

12 효도 효 (　　　　　)

13 손 수 (　　　　　)

14 움직일 동 (　　　　　)

[문제 15~16] 다음 漢字한자의 상대 또는 반대되는 漢字한자를 보기 에서 골라 그 번호를 쓰세요.

보기
① 兄 ② 名 ③ 母 ④ 男

15 (　　　　　) ↔ 父

16 (　　　　　) ↔ 弟

[문제 17~18] 다음 뜻에 맞는 漢字語한자어를 보기 에서 찾아 그 번호를 쓰세요.

보기
① 弟子 ② 孝女
③ 生氣 ④ 姓名

17 성과 이름 (　　　　　)

18 싱싱하고 힘찬 기운 (　　　　　)

[문제 19~20] 다음 漢字한자의 진하게 표시된 획은 몇 번째 쓰는지 보기 에서 찾아 그 번호를 쓰세요.

보기
① 첫 번째 ② 세 번째
③ 다섯 번째 ④ 일곱 번째

19 弟 (　　　　　)

20 工 (　　　　　)

7급Ⅱ 급수 시험 맛보기 2회

[문제 1~5] 다음 밑줄 친 漢字語한자어의 音(음: 소리)을 쓰세요.

보기

漢字 → 한자

1 주말에 정약용 선생의 <u>生家</u>를 방문하였습니다. (　　　　)

2 그는 온 동네에 소문이 자자한 <u>孝子</u>입니다. (　　　　)

3 응원의 함성이 선수들에게 <u>活力</u>을 불어넣었습니다. (　　　　)

4 어떤 사람들은 큰 소리로 <u>姓名</u>을 외칩니다. (　　　　)

5 환하게 미소짓는 <u>母女</u>의 모습에서 행복을 느낍니다. (　　　　)

[문제 6~9] 다음 漢字한자의 訓(훈: 뜻)과 音(음: 소리)을 쓰세요.

보기

字 → 글자 자

6 弟 (　　　　)

7 兄 (　　　　)

8 足 (　　　　)

9 氣 (　　　　)

[문제 10~11] 다음 밑줄 친 漢字語한자어를 보기에서 골라 그 번호를 쓰세요.

보기

① 男子　② 動力
③ 父女　④ 父子

10 라이트 형제는 세계 최초로 <u>동력</u> 비행기를 만들었습니다. (　　　　)

11 한 팔을 베고 누워 잠을 자는 <u>부자</u>의 모습이 똑 닮았습니다.

(　　　　)

[문제 12~14] 다음 訓(훈: 뜻)과 音(음: 소리)에 맞는 漢字한자를 보기 에서 골라 그 번호를 쓰세요.

보기
① 工 ② 自 ③ 男 ④ 子

12 스스로 자 ( )

13 장인 공 ( )

14 사내 남 ( )

[문제 15~16] 다음 漢字한자의 상대 또는 반대되는 漢字한자를 보기 에서 골라 그 번호를 쓰세요.

보기
① 手 ② 父 ③ 男 ④ 兄

15 ( ) ↔ 女

16 ( ) ↔ 足

[문제 17~18] 다음 뜻에 맞는 漢字語한자어를 보기 에서 찾아 그 번호를 쓰세요.

보기
① 活動 ② 生活
③ 生氣 ④ 自足

17 스스로 넉넉함을 느낌.
( )

18 일정한 환경에서 활동하며 살아감.
( )

[문제 19~20] 다음 漢字한자의 진하게 표시된 획은 몇 번째 쓰는지 보기 에서 찾아 그 번호를 쓰세요.

보기
① 첫 번째 ② 세 번째
③ 다섯 번째 ④ 일곱 번째

19 姓 ( )

20 手 ( )

학습 내용 찾아보기

한자

한자어

memo

memo

가족 한자
家
집 가

가족 한자
父
아버지 부

가족 한자
母
어머니 모

가족 한자
子
아들 자

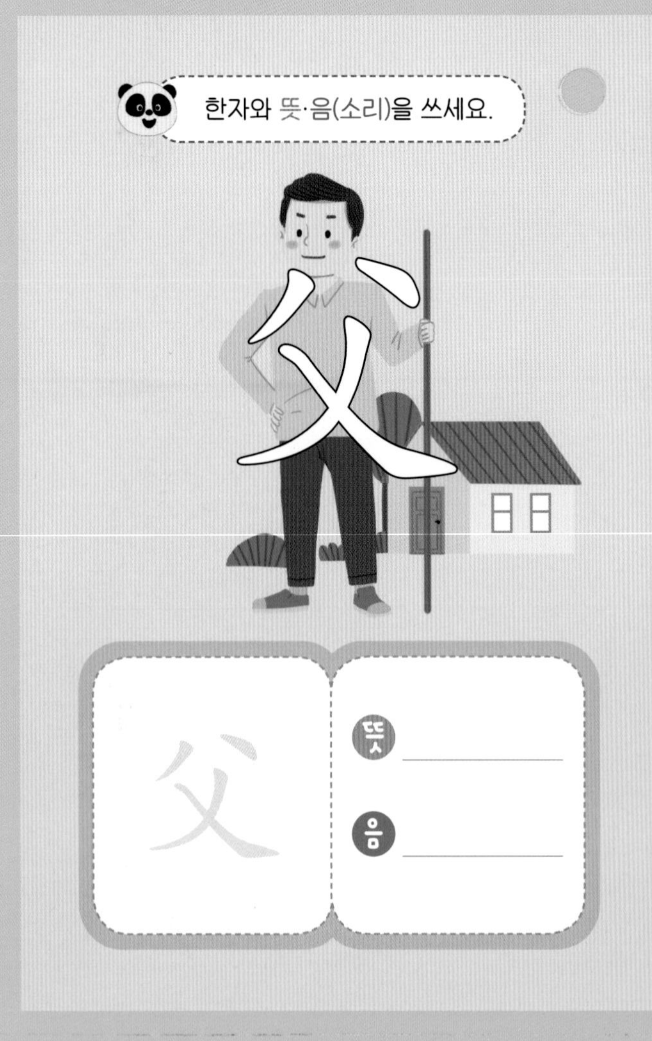
한자와 뜻·음(소리)을 쓰세요.
父
父
뜻
음

한자와 뜻·음(소리)을 쓰세요.
家
家
뜻
음

한자와 뜻·음(소리)을 쓰세요.
子
子
뜻
음

한자와 뜻·음(소리)을 쓰세요.
母
母
뜻
음

가족 한자
女
여자 녀

가족 한자
兄
형 형

가족 한자
弟
아우 제

가족 한자
姓
성 성

한자와 뜻·음(소리)을 쓰세요.
兄
兄
뜻
음

한자와 뜻·음(소리)을 쓰세요.
女
女
뜻
음

한자와 뜻·음(소리)을 쓰세요.
姓
姓
뜻
음

한자와 뜻·음(소리)을 쓰세요.
弟
弟
뜻
음

가족 한자
名
이름 명

가족 한자
孝
효도 효

사람 한자
男
사내 남

사람 한자
工
장인 공

한자와 뜻·음(소리)을 쓰세요.
孝
孝
뜻
음

한자와 뜻·음(소리)을 쓰세요.
名
名
뜻
음

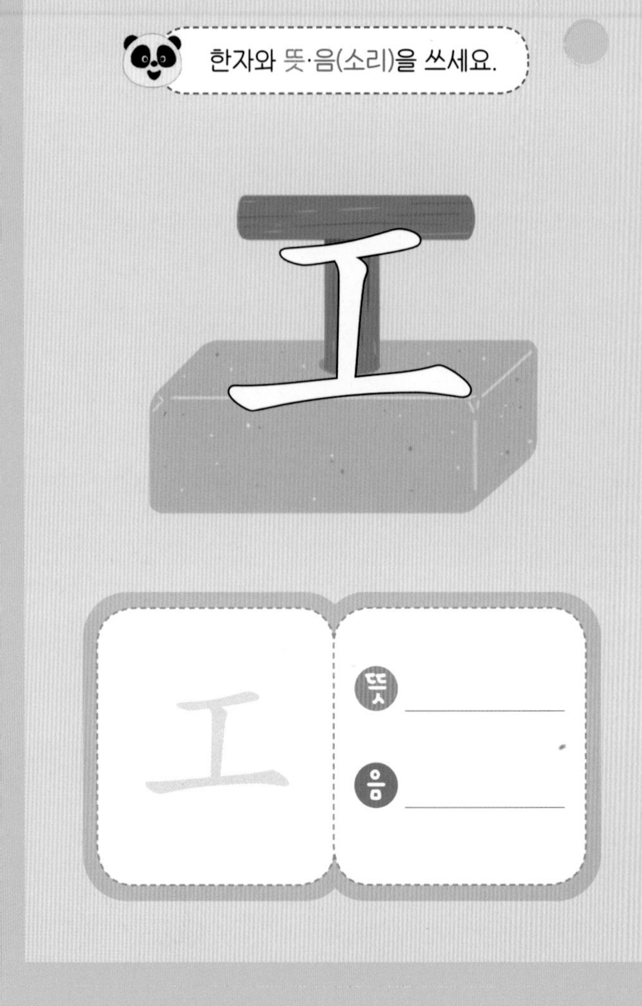
한자와 뜻·음(소리)을 쓰세요.
工
工
뜻
음

한자와 뜻·음(소리)을 쓰세요.
男
男
뜻
음

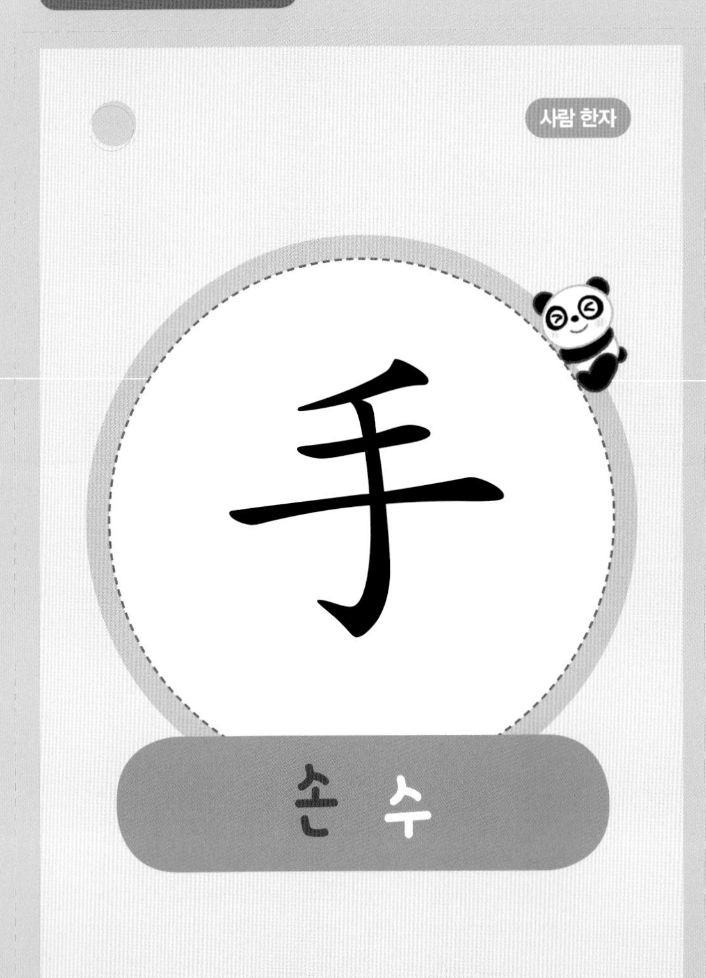
사람 한자
手
손 수

사람 한자
足
발 족

사람 한자
自
스스로 자

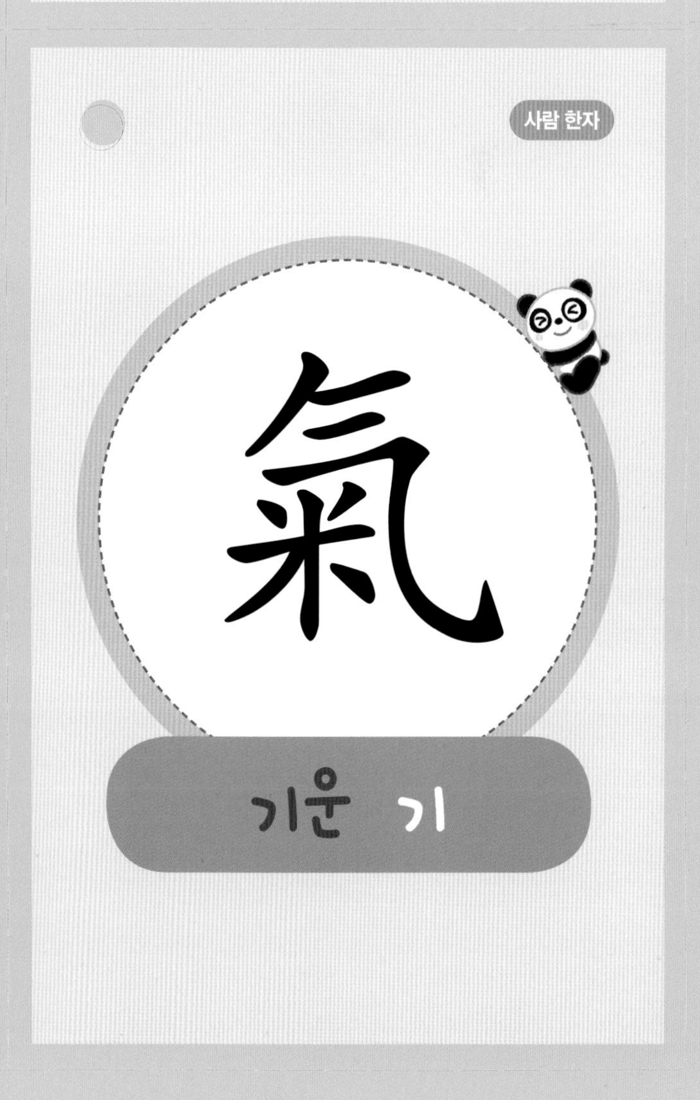
사람 한자
氣
기운 기

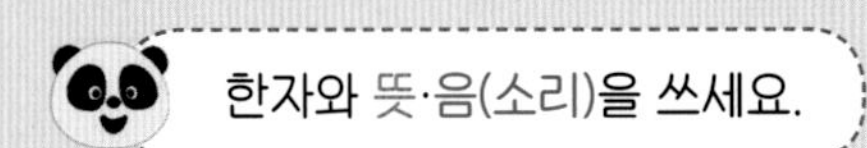

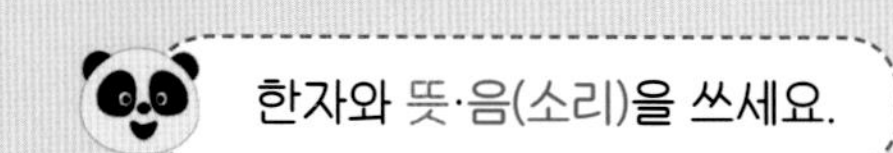

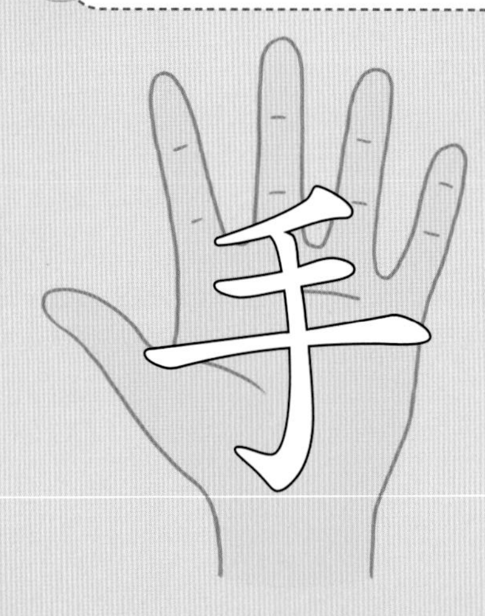

한자와 뜻·음(소리)을 쓰세요.

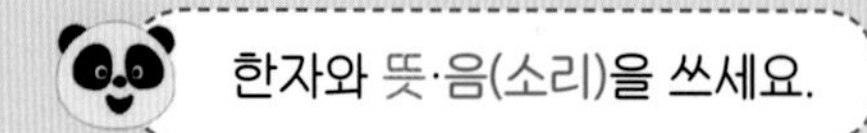

한자 카드 ⑤

한자와 뜻·음(소리)을 쓰세요.
生
生
뜻
음

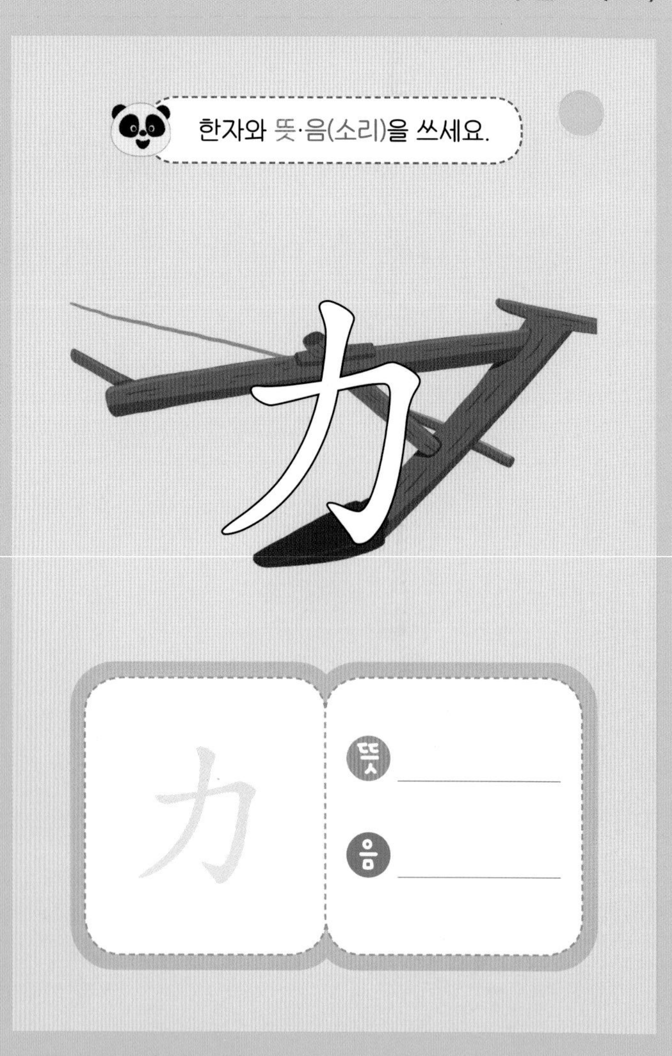
한자와 뜻·음(소리)을 쓰세요.
力
力
뜻
음

한자와 뜻·음(소리)을 쓰세요.
動
動
뜻
음

한자와 뜻·음(소리)을 쓰세요.
活
活
뜻
음

꼭 알아야 할
사자성어

水 漁 之 交

물 물고기 갈 사귈

수 어 지 교

물고기에게 물은 정말 소중한 존재이지요.
수어지교란 물고기와 물의 관계처럼,
아주 친밀하여 떨어질 수 없는 사이
또는 깊은 우정을 일컫는 말이랍니다.

쉽다!

10분이면 하루치 공부를 마칠 수 있는 커리큘럼으로,
아이들이 초등 학습에 쉽고 재미있게 접근할 수 있도록
구성하였습니다.

재미있다!

교과서는 물론 생활 속에서 쉽게 접할 수 있는
다양한 소재와 재미있는 게임 형식의 문제로
흥미로운 학습이 가능합니다.

똑똑하다!

초등학생에게 꼭 필요한 학습 지식 습득은 물론
창의력 확장까지 가능한 교재로 올바른 공부습관을
가지는 데 도움을 줍니다.

과목	교재 구성	과목	교재 구성
하루 독해	예비초~6학년 각 A·B 14권	하루 VOCA	3~6학년 각 A·B 8권
하루 어휘	예비초~6학년 각 A·B 14권	하루 영문법	3~6학년 각 A·B 8권
하루 글쓰기	예비초~6학년 각 A·B 14권	하루 리딩	3~6학년 각 A·B 8권
하루 한자	예비초: 예비초 A·B 2권 1~6학년: 1A~4C 12권	하루 파닉스	예비초~3학년 Starter A·B 8권 / 1A~3B 8권
하루 수학	1~6학년 1·2학기 12권	하루 봄·여름·가을·겨울	예비초~2학년 8권
하루 계산	예비초~6학년 각 A·B 14권	하루 사회	3~6학년 1·2학기 8권
하루 도형	예비초~6학년 각 A·B 14권	하루 과학	3~6학년 1·2학기 8권
하루 사고력	1~6학년 각 A·B 12권		

※ 각 교재별 출간 시기는 조금씩 다르며, 일부 교재는 순차적으로 출시될 예정입니다.

똑 똑 한

하루 한자

정답

2 단계 B

7급Ⅱ 기초2

천재교육

배운 내용은
꼭꼭 복습하기!

똑 똑 한

하루 한자

정답

2 단계 B

7급Ⅱ 기초2

똑똑한 하루 한자

정답

1주 도입

010~011쪽

1주에는 무엇을 공부할까? ②
이번 주에 배울 한자들이 그림 속에 숨어 있어요. 보기를 참고해서 한자를 찾아보세요.
보기 家 집 가 父 아버지 부 母 어머니 모 子 아들 자 女 여자 녀
父
母
家
子
女
10 • 똑똑한 하루 한자
2단계-B 1주 • 11

1주 1일

016~017쪽

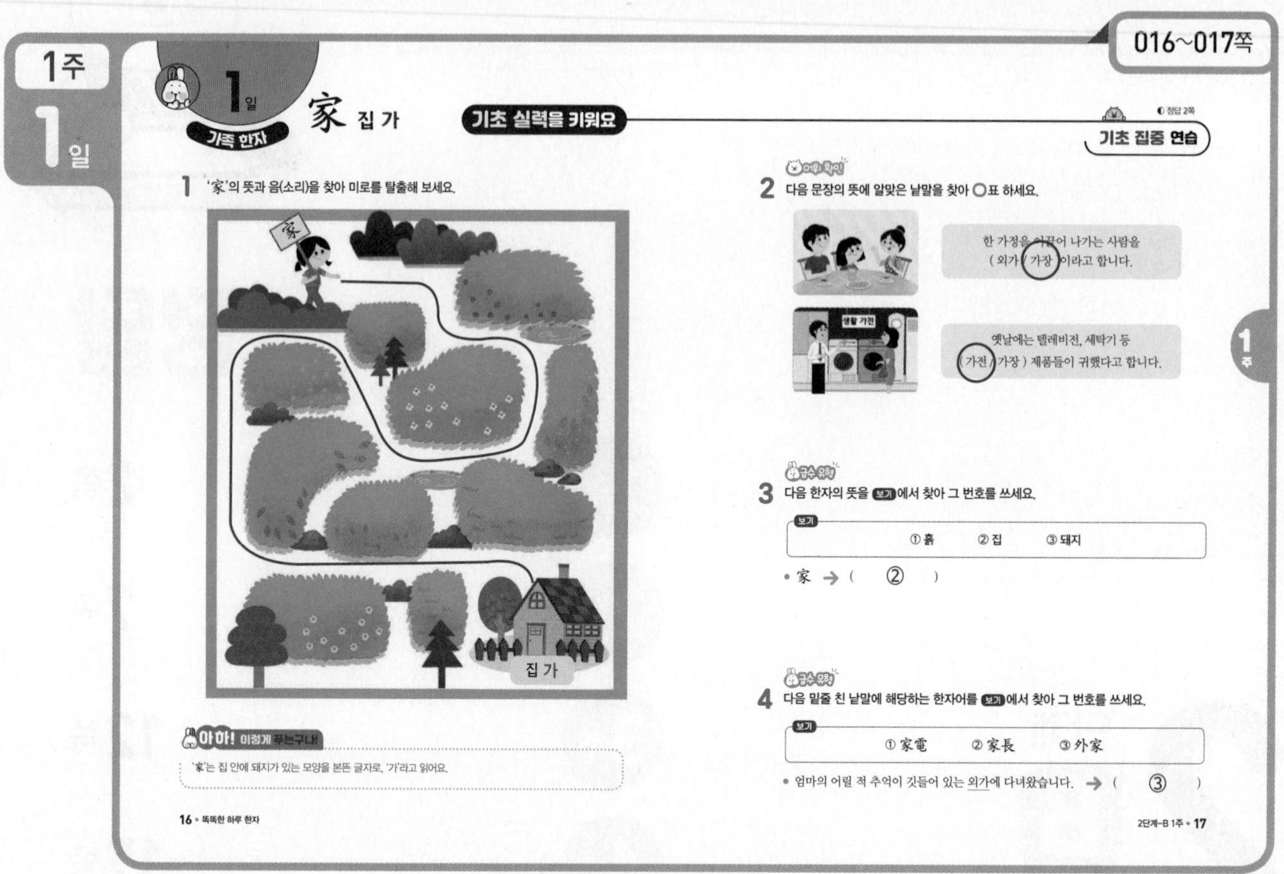

1일 가족 한자 家 집 가
기초 실력을 키워요
기초 집중 연습
1 '家'의 뜻과 음(소리)을 찾아 미로를 탈출해 보세요.
집 가
아하! 이렇게 푸는구나!
'家'는 집 안에 돼지가 있는 모양을 본뜬 글자로, '가'라고 읽어요.
2 다음 문장의 뜻에 알맞은 낱말을 찾아 ○표 하세요.
한 가정을 이끌어 나가는 사람을 (외가 / 가장)이라고 합니다.
옛날에는 텔레비전, 세탁기 등 (가전 / 가장) 제품들이 귀했다고 합니다.
3 다음 한자의 뜻을 보기에서 찾아 그 번호를 쓰세요.
보기 ① 흙 ② 집 ③ 돼지
• 家 → (②)
4 다음 밑줄 친 낱말에 해당하는 한자어를 보기에서 찾아 그 번호를 쓰세요.
보기 ① 家電 ② 家長 ③ 外家
• 엄마의 어릴 적 추억이 깃들어 있는 외가에 다녀왔습니다. → (③)
16 • 똑똑한 하루 한자
2단계-B 1주 • 17

022~023쪽

1주 2일

2일 가족 한자

父 아버지 부 기초 실력을 키워요

기초 집중 연습 ◐ 정답 3쪽

1 그림 속에 숨겨진 한자를 찾아 그 음(소리)을 쓰세요.

아하! 이렇게 푸는구나!

'家(가)'는 집, '父(부)'는 아버지를 뜻하는 글자예요. 한자의 뜻과 관련 있는 그림 속에서 한자를 찾아보세요.

2 ◯에 알맞은 글자를 넣어 낱말을 만드세요.

아버지와 어머니 — 부 모

아버지와 아들 — 부 자

아버지와 딸 — 부 녀

3 보기 와 같이 다음 한자의 뜻과 음(소리)을 쓰세요.

보기: 家 → 집 가

• 父 → (아버지 부)

4 다음 밑줄 친 말에 해당하는 한자를 보기 에서 찾아 그 번호를 쓰세요.

보기: ① 母 ② 家 ③ 父

• 아버지는 지금 집에 계십니다. → (③)

22 • 똑똑한 하루 한자

2단계-B 1주 • 23

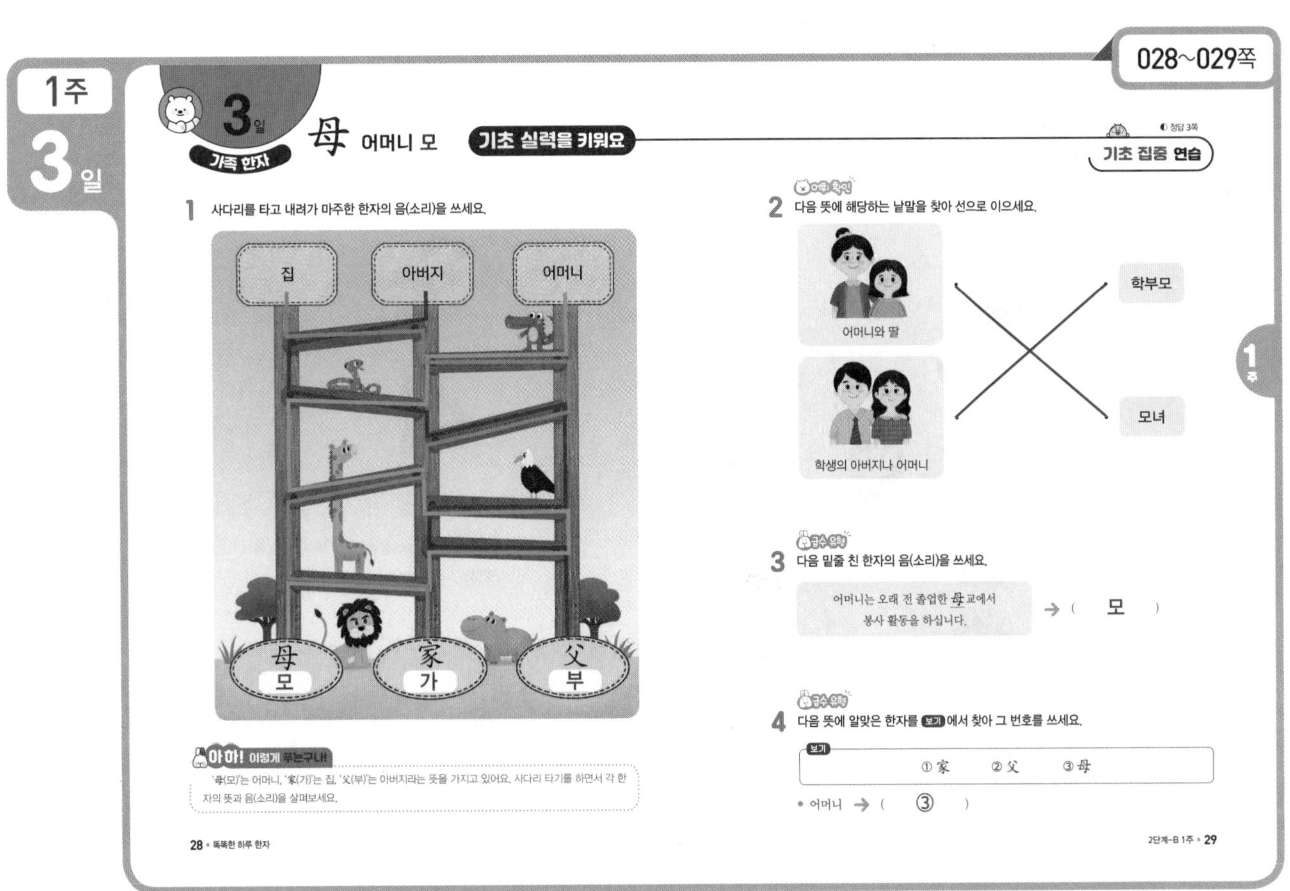
028~029쪽

1주 3일

3일 가족 한자

母 어머니 모 기초 실력을 키워요

기초 집중 연습 ◐ 정답 3쪽

1 사다리를 타고 내려가 마주한 한자의 음(소리)을 쓰세요.

아하! 이렇게 푸는구나!

'母(모)'는 어머니, '家(가)'는 집, '父(부)'는 아버지라는 뜻을 가지고 있어요. 사다리 타기를 하면서 각 한자의 뜻과 음(소리)을 살펴보세요.

2 다음 뜻에 해당하는 낱말을 찾아 선으로 이으세요.

어머니와 딸 — 모녀

학생의 아버지나 어머니 — 학부모

3 다음 밑줄 친 한자의 음(소리)을 쓰세요.

어머니는 오래 전 졸업한 母교에서 봉사 활동을 하십니다. → (모)

4 다음 뜻에 알맞은 한자를 보기 에서 찾아 그 번호를 쓰세요.

보기: ① 家 ② 父 ③ 母

• 어머니 → (③)

28 • 똑똑한 하루 한자

2단계-B 1주 • 29

1주 4일

034~035쪽

4일 가족 한자
子 아들 자
기초 실력을 키워요
기초 집중 연습
1 그림 속에 숨어 있는 보기의 한자를 찾아 ○표 하세요.
보기 父 母 子
아하! 이렇게 푸는구나!
그림 속에서 '父', '母', '子'의 뜻을 가지고 있는 사람을 찾아보세요.
2 에 알맞은 글자를 넣어 낱말을 만드세요.
• 임금의 아들: 왕 자
• 아들과 딸: 자 녀
3 다음 한자의 음(소리)을 보기에서 찾아 그 번호를 쓰세요.
보기 ① 부 ② 모 ③ 자
• 子 → (③)
4 다음 뜻에 맞는 한자어를 보기에서 찾아 그 번호를 쓰세요.
보기 ① 男子 ② 王子 ③ 子女
• 남성으로 태어난 사람 → (①)
34 • 똑똑한 하루 한자
2단계-B 1주 • 35

1주 5일

040~041쪽

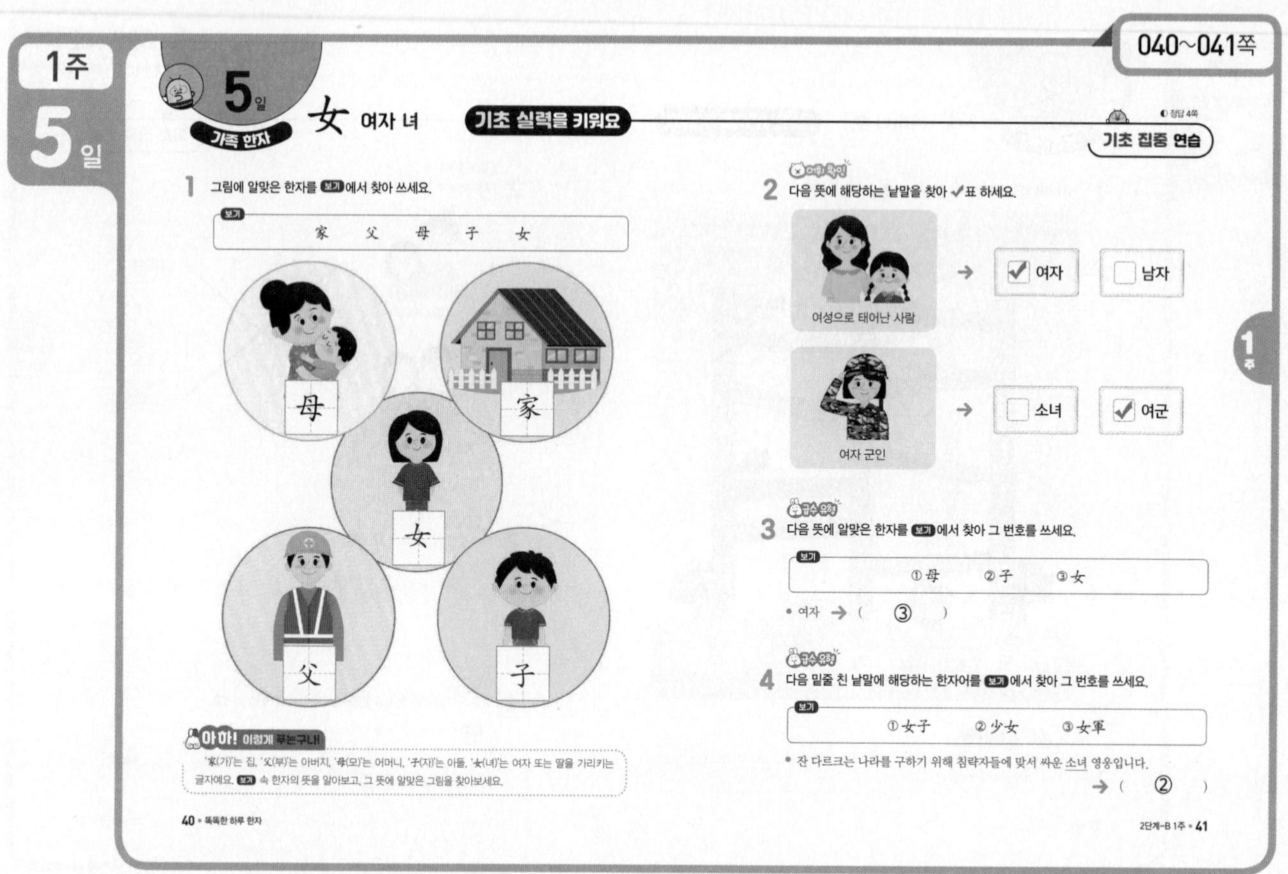

5일 가족 한자
女 여자 녀
기초 실력을 키워요
기초 집중 연습
1 그림에 알맞은 한자를 보기에서 찾아 쓰세요.
보기 家 父 母 子 女
母 家 女 父 子
아하! 이렇게 푸는구나!
'家(가)'는 집, '父(부)'는 아버지, '母(모)'는 어머니, '子(자)'는 아들, '女(녀)'는 여자 또는 딸을 가리키는 글자예요. 보기 속 한자의 뜻을 알아보고, 그 뜻에 알맞은 그림을 찾아보세요.
2 다음 뜻에 해당하는 낱말을 찾아 ✓표 하세요.
여성으로 태어난 사람 → ✓ 여자 남자
여자 군인 → 소녀 ✓ 여군
3 다음 뜻에 알맞은 한자를 보기에서 찾아 그 번호를 쓰세요.
보기 ① 母 ② 子 ③ 女
• 여자 → (③)
4 다음 밑줄 친 낱말에 해당하는 한자어를 보기에서 찾아 그 번호를 쓰세요.
보기 ① 女子 ② 少女 ③ 女軍
• 잔 다르크는 나라를 구하기 위해 침략자들에 맞서 싸운 소녀 영웅입니다.
→ (②)
40 • 똑똑한 하루 한자
2단계-B 1주 • 41

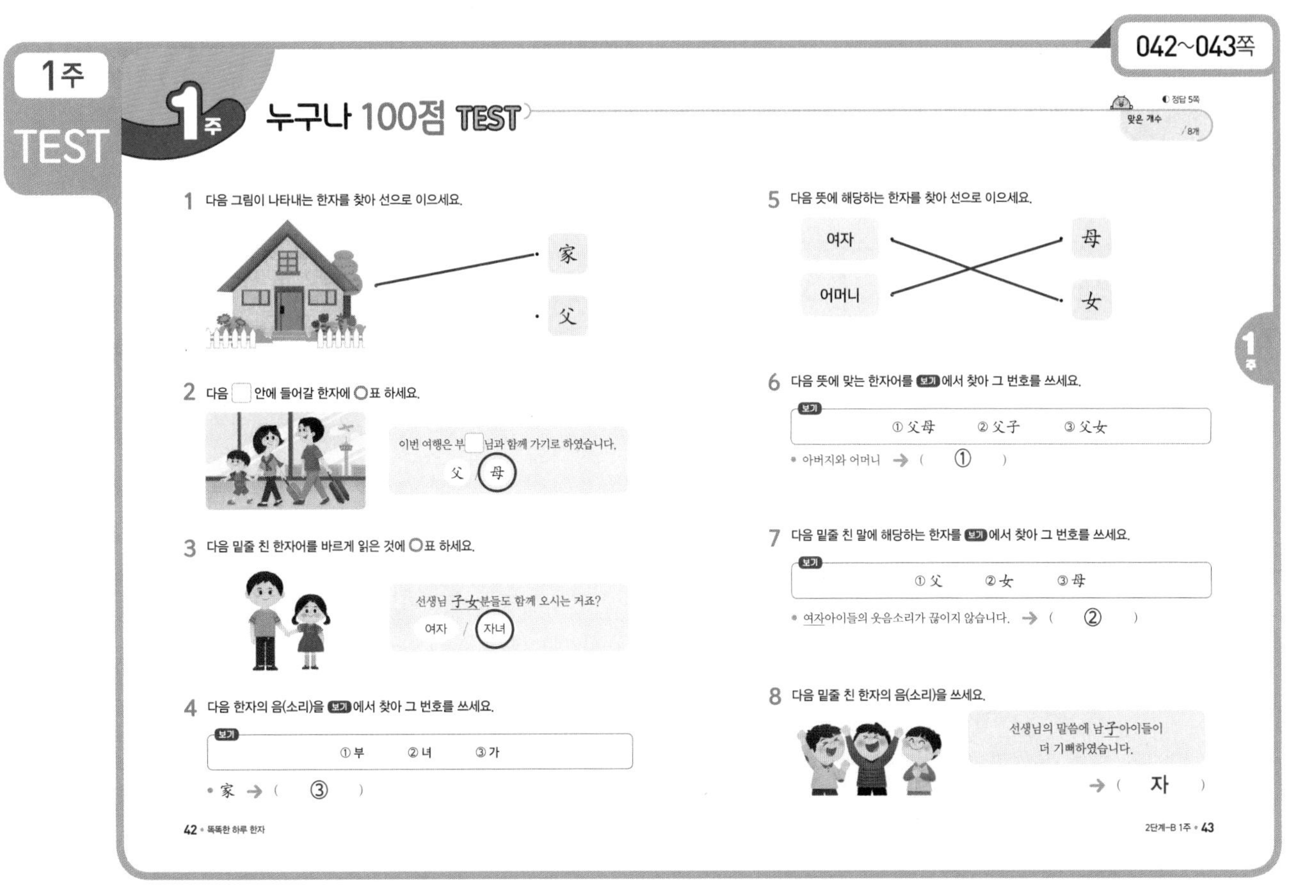
1주 TEST

042~043쪽

1주 누구나 100점 TEST

정답 5쪽

맞은 개수 /8개

1 다음 그림이 나타내는 한자를 찾아 선으로 이으세요.

家 (집 그림과 연결)

父

2 다음 □ 안에 들어갈 한자에 ○표 하세요.

이번 여행은 부□님과 함께 가기로 하였습니다.

父 / 母 (○)

3 다음 밑줄 친 한자어를 바르게 읽은 것에 ○표 하세요.

선생님 子女분들도 함께 오시는 거죠?

여자 / 자녀 (○)

4 다음 한자의 음(소리)을 보기에서 찾아 그 번호를 쓰세요.

보기: ① 부 ② 녀 ③ 가

• 家 → (③)

5 다음 뜻에 해당하는 한자를 찾아 선으로 이으세요.

여자 — 女

어머니 — 母

6 다음 뜻에 맞는 한자어를 보기에서 찾아 그 번호를 쓰세요.

보기: ① 父母 ② 父子 ③ 父女

• 아버지와 어머니 → (①)

7 다음 밑줄 친 말에 해당하는 한자를 보기에서 찾아 그 번호를 쓰세요.

보기: ① 父 ② 女 ③ 母

• 여자아이들의 웃음소리가 끊이지 않습니다. → (②)

8 다음 밑줄 친 한자의 음(소리)을 쓰세요.

선생님의 말씀에 남子아이들이 더 기뻐하였습니다.

→ (자)

42 • 똑똑한 하루 한자

2단계-B 1주 • 43

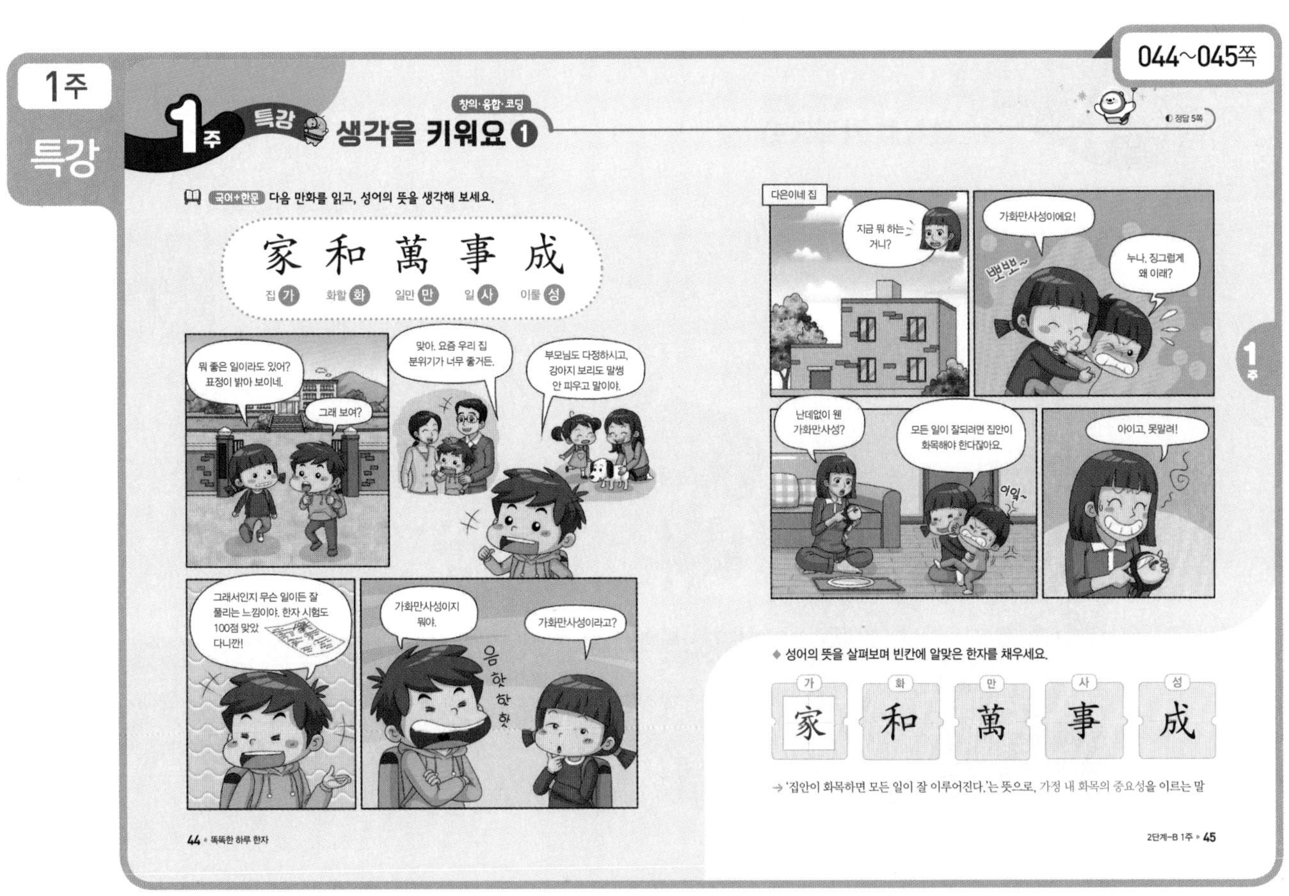
1주 특강

044~045쪽

1주 특강 창의·융합·코딩 생각을 키워요 1

정답 5쪽

국어+한문 다음 만화를 읽고, 성어의 뜻을 생각해 보세요.

家 和 萬 事 成

집 가 화할 화 일만 만 일 사 이룰 성

뭐 좋은 일이라도 있어? 표정이 밝아 보이네.
그래 보여?
맞아. 요즘 우리 집 분위기가 너무 좋거든.
부모님도 다정하시고, 강아지 보리도 말썽 안 피우고 말이야.
그래서인지 무슨 일이든 잘 풀리는 느낌이야. 한자 시험도 100점 맞았다니깐!
가화만사성이지 뭐야.
가화만사성이라고?
음하하핫
다은이네 집
지금 뭐 하는 거니?
가화만사성이에요!
뽀뽀~
누나, 징그럽게 왜 이래?
난데없이 웬 가화만사성?
모든 일이 잘되려면 집안이 화목해야 한다잖아요.
아이고, 못말려!

◆ 성어의 뜻을 살펴보며 빈칸에 알맞은 한자를 채우세요.

가 家 화 和 만 萬 사 事 성 成

→ '집안이 화목하면 모든 일이 잘 이루어진다.'는 뜻으로, 가정 내 화목의 중요성을 이르는 말

44 • 똑똑한 하루 한자

2단계-B 1주 • 45

1주 특강

046~047쪽

1주 특강 생각을 키워요 ❷ 창의·융합·코딩

코딩+한문 한자 카드 퍼즐의 '母' 자를 순서도에 따라 움직였을 때 만들어지는 한자어의 음(소리)를 쓰세요.

	女		父	
		母		
家			子	

<예> 시작 → 왼쪽으로 2칸 → 위로 1칸 → 끝 → 모 녀

시작 → 아래로 1칸 → 끝 → 모 자

시작 → 오른쪽으로 2칸 → 위로 1칸 → 끝 → 부 모

46 • 똑똑한 하루 한자

2단계-B 1주 • 47

1주 특강

048~049쪽

1주 특강 생각을 키워요 ❸ 창의·융합·코딩

사회+한문 다음 가족사진을 보고 물음에 답하세요.

1 사진에 등장하는 인물과 관계없는 한자를 찾아 ✓표 하세요.

父 家(✓) 母

2 다음 두 사람의 관계를 바르게 나타낸 것에 ○표 하세요.

父子(부자) (○) 母女(모녀)

3 다음 글을 읽고, 사진 속 가족의 형태로 알맞은 것을 보기에서 찾아 그 번호를 쓰세요.

보기: ① 핵가족 ② 확대 가족 ③ 한 부모 가족

가족은 결혼, 혈연, 입양 등으로 맺어진 공동체 또는 그 구성원을 이르는 말입니다. 가족은 구성하는 사람의 범위와 수, 나이 등에 따라 모습이 조금씩 다릅니다.

부모와 자녀로 이루어진 가족을 '핵가족'이라고 하며, 아버지 또는 어머니 한 사람과 자녀로 구성된 가족을 '한 부모 가족'이라고 합니다. 또 조부모, 부모, 자녀의 3대 이상이 모여 사는 가족은 '확대 가족'이라고 합니다.

답 ①

48 • 똑똑한 하루 한자

2단계-B 1주 • 49

052~053쪽

2주 도입

2주에는 무엇을 공부할까? ②
이번 주에 배울 한자들이 그림 속에 숨어 있어요. 보기 를 참고해서 한자를 찾아보세요.
보기 兄 형 형 弟 아우 제 姓 성 성 名 이름 명 孝 효도 효
BOOK
孝
兄
弟
名
52 똑똑한 하루 한자
2단계-B 2주 53

058~059쪽

2주 1일

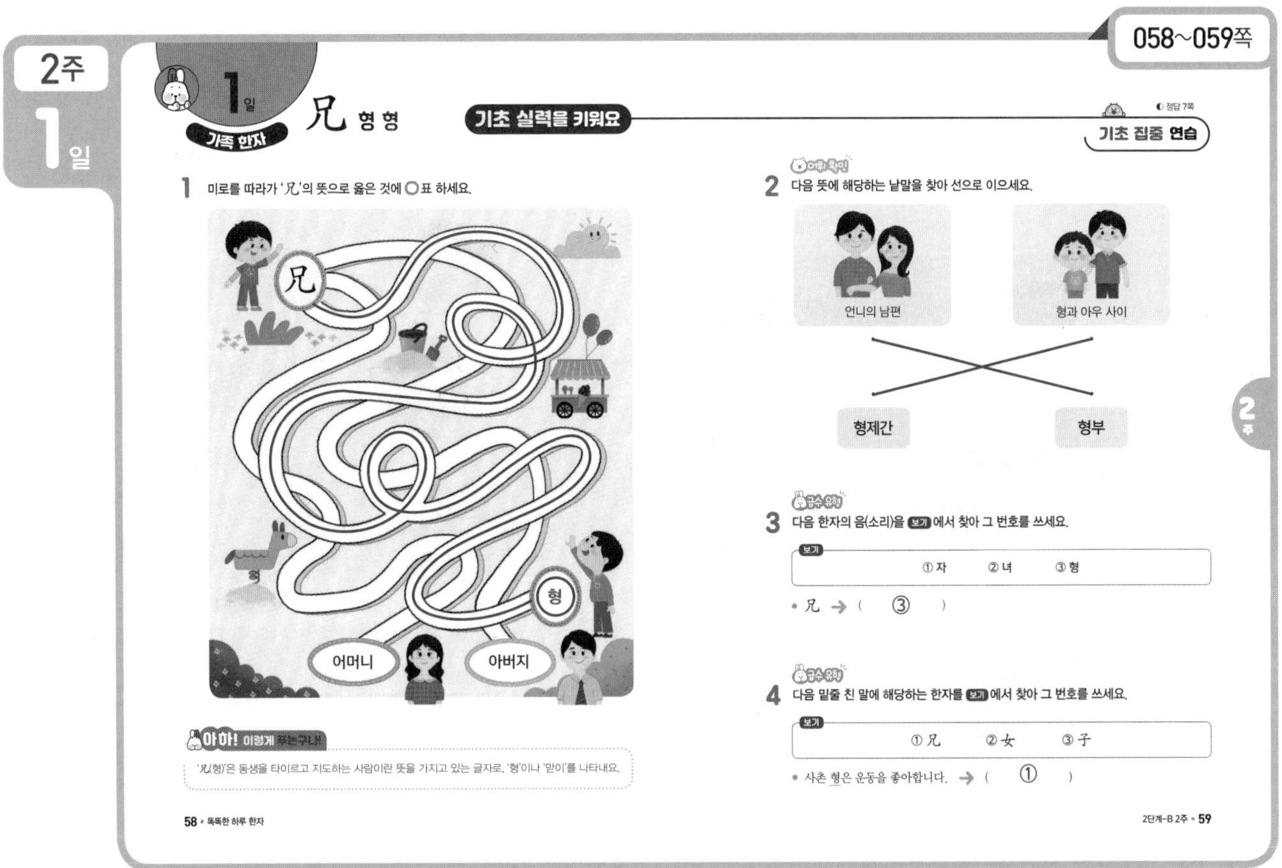

1일 가족 한자 兄 형 형
기초 실력을 키워요
기초 집중 연습
1 미로를 따라가 '兄'의 뜻으로 옳은 것에 ○표 하세요.
兄
형
어머니
아버지
아하! 이렇게 푸는구나!
'兄(형)'은 동생을 타이르고 지도하는 사람이란 뜻을 가지고 있는 글자로, '형'이나 '맏이'를 나타내요.
2 다음 뜻에 해당하는 낱말을 찾아 선으로 이으세요.
언니의 남편
형과 아우 사이
형제간
형부
3 다음 한자의 음(소리)을 보기 에서 찾아 그 번호를 쓰세요.
보기 ① 자 ② 녀 ③ 형
• 兄 → (③)
4 다음 밑줄 친 말에 해당하는 한자를 보기 에서 찾아 그 번호를 쓰세요.
보기 ① 兄 ② 女 ③ 子
• 사촌 형은 운동을 좋아합니다. → (①)
58 똑똑한 하루 한자
2단계-B 2주 59

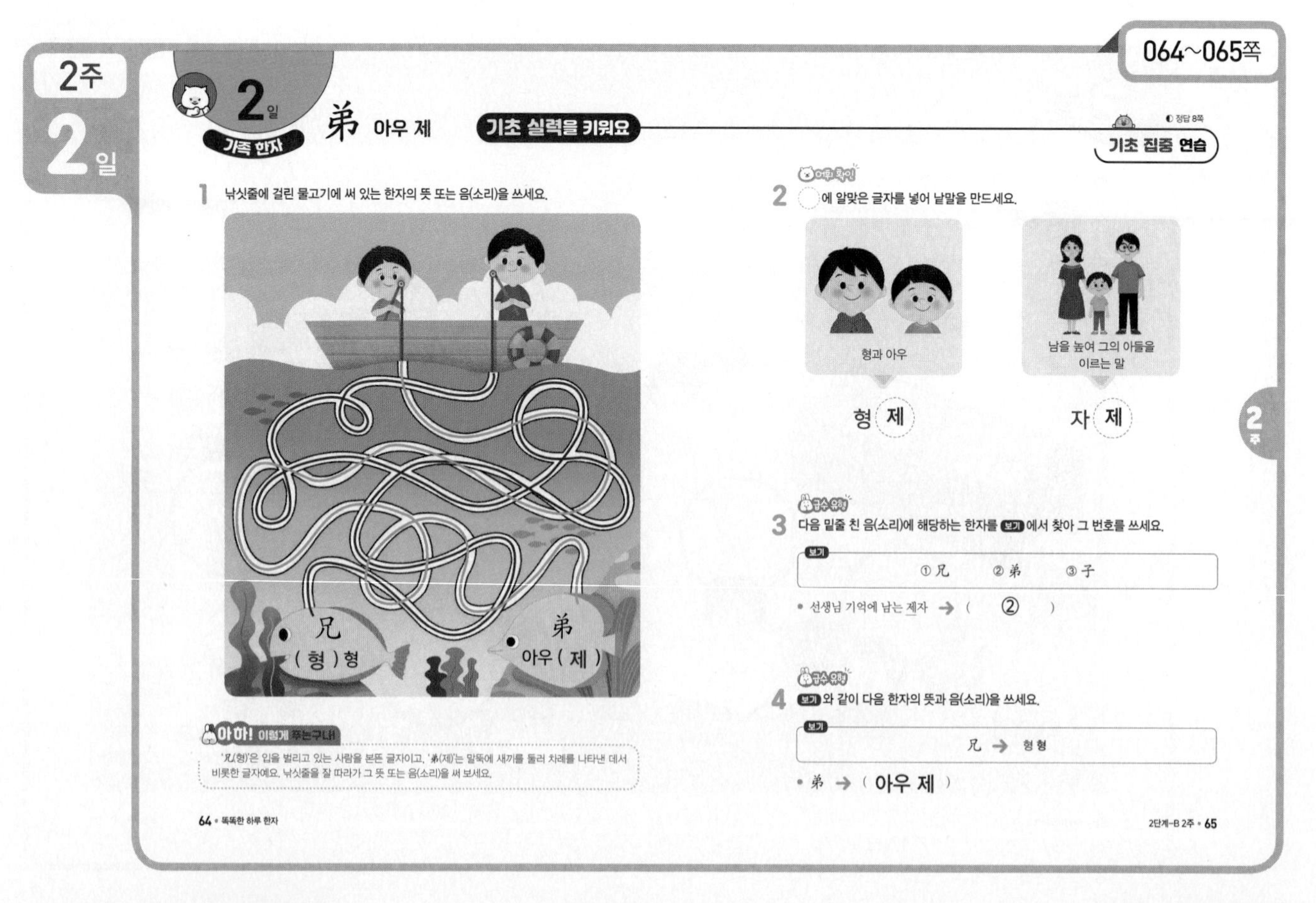

2주 2일 064~065쪽

2일 가족 한자 弟 아우 제 기초 실력을 키워요

1 낚싯줄에 걸린 물고기에 써 있는 한자의 뜻 또는 음(소리)을 쓰세요.

아하! 이렇게 푸는구나

'兄(형)'은 입을 벌리고 있는 사람을 본뜬 글자이고, '弟(제)'는 말뚝에 새끼를 돌려 차례를 나타낸 데서 비롯한 글자예요. 낚싯줄을 잘 따라가 그 뜻 또는 음(소리)을 써 보세요.

64 • 똑똑한 하루 한자

정답 8쪽 기초 집중 연습

어휘 확인

2 ◯에 알맞은 글자를 넣어 낱말을 만드세요.

형과 아우 → 형 (제)

남을 높여 그의 아들을 이르는 말 → 자 (제)

급수 유형

3 다음 밑줄 친 음(소리)에 해당하는 한자를 보기에서 찾아 그 번호를 쓰세요.

보기 ①兄 ②弟 ③子

• 선생님 기억에 남는 제자 → (②)

급수 유형

4 보기와 같이 다음 한자의 뜻과 음(소리)을 쓰세요.

보기 兄 → 형 형

• 弟 → (아우 제)

2단계-B 2주 • 65

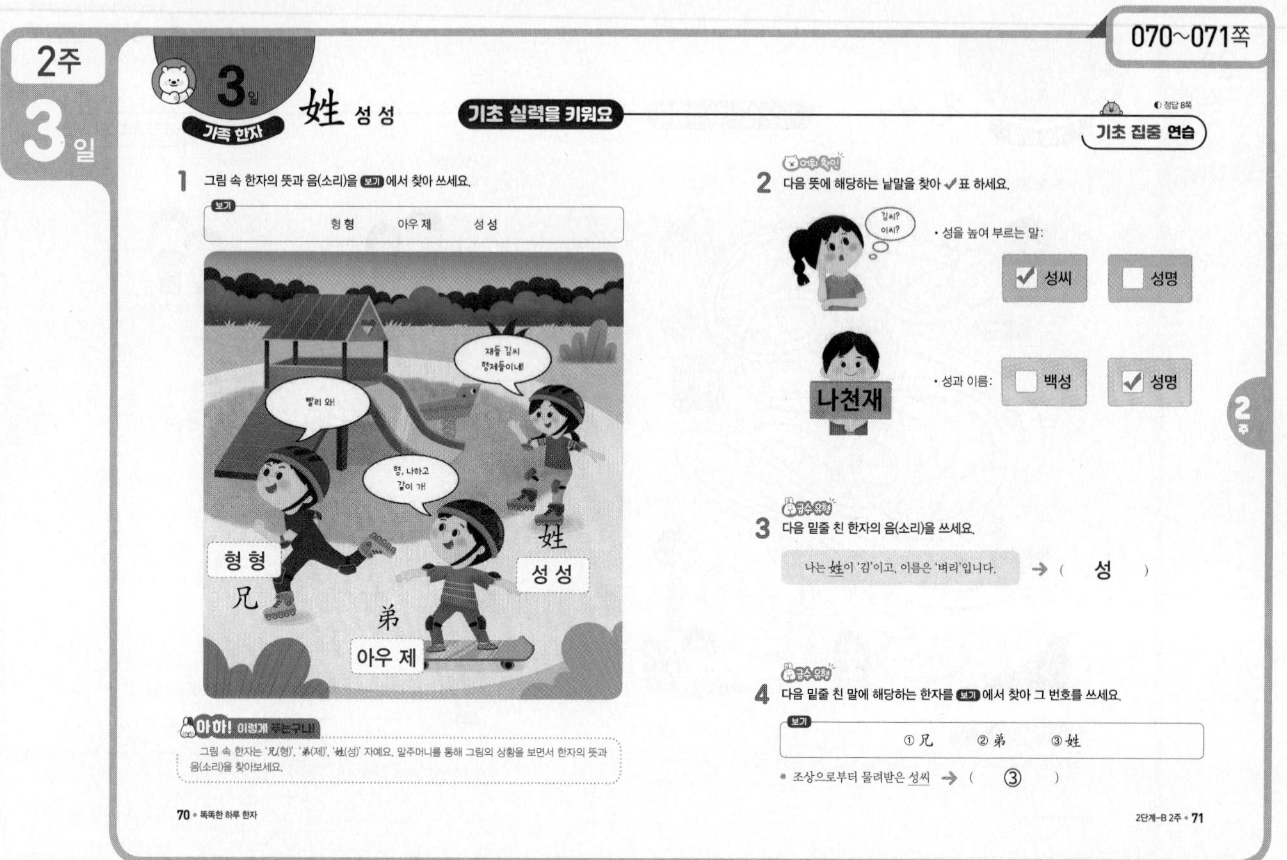

2주 3일 070~071쪽

3일 가족 한자 姓 성 성 기초 실력을 키워요

1 그림 속 한자의 뜻과 음(소리)을 보기에서 찾아 쓰세요.

보기 형 형 아우 제 성 성

아하! 이렇게 푸는구나

그림 속 한자는 '兄(형)', '弟(제)', '姓(성)' 자예요. 말주머니를 통해 그림의 상황을 보면서 한자의 뜻과 음(소리)을 찾아보세요.

70 • 똑똑한 하루 한자

정답 8쪽 기초 집중 연습

어휘 확인

2 다음 뜻에 해당하는 낱말을 찾아 ✔표 하세요.

• 성을 높여 부르는 말: ✔ 성씨 / 성명

• 성과 이름: 백성 / ✔ 성명

급수 유형

3 다음 밑줄 친 한자의 음(소리)을 쓰세요.

나는 姓이 '김'이고, 이름은 '벼리'입니다. → (성)

급수 유형

4 다음 밑줄 친 말에 해당하는 한자를 보기에서 찾아 그 번호를 쓰세요.

보기 ①兄 ②弟 ③姓

• 조상으로부터 물려받은 성씨 → (③)

2단계-B 2주 • 71

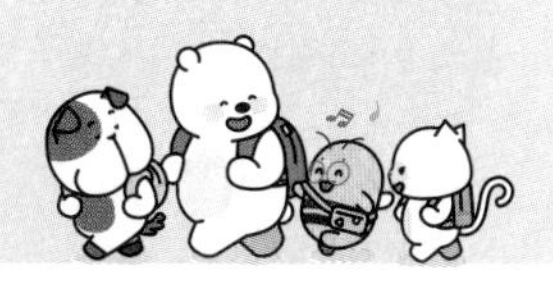

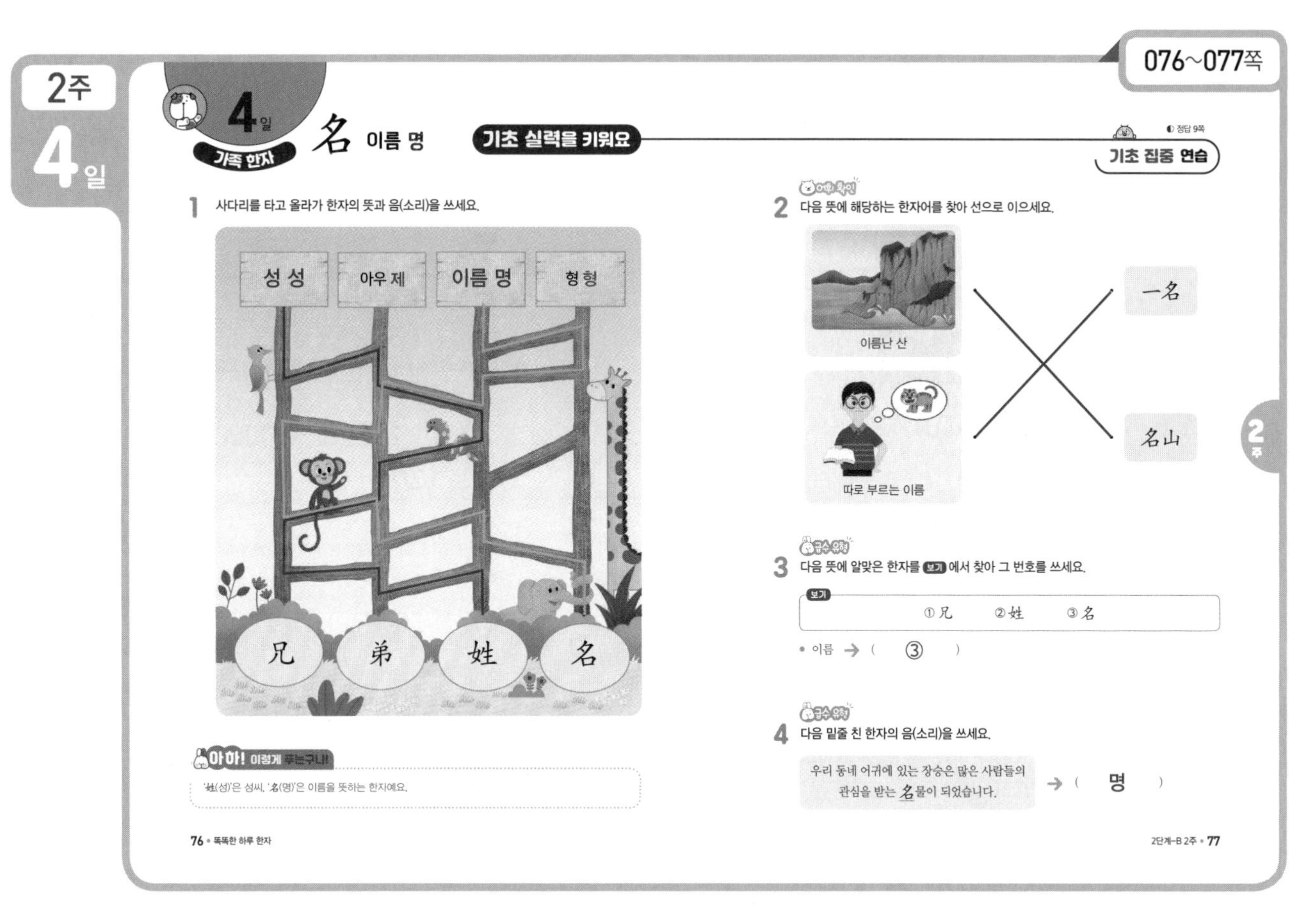

076~077쪽
2주 4일
가족 한자
名 이름 명
기초 실력을 키워요
1 사다리를 타고 올라가 한자의 뜻과 음(소리)을 쓰세요.
성 성
아우 제
이름 명
형 형
兄
弟
姓
名
아하! 이렇게 푸는구나!
'姓(성)'은 성씨, '名(명)'은 이름을 뜻하는 한자예요.
기초 집중 연습
2 다음 뜻에 해당하는 한자어를 찾아 선으로 이으세요.
이름난 산
따로 부르는 이름
一名
名山
3 다음 뜻에 알맞은 한자를 보기에서 찾아 그 번호를 쓰세요.
① 兄 ② 姓 ③ 名
• 이름 → (③)
4 다음 밑줄 친 한자의 음(소리)을 쓰세요.
우리 동네 어귀에 있는 장승은 많은 사람들의 관심을 받는 名물이 되었습니다.
→ (명)
76 • 똑똑한 하루 한자
2단계-B 2주 • 77

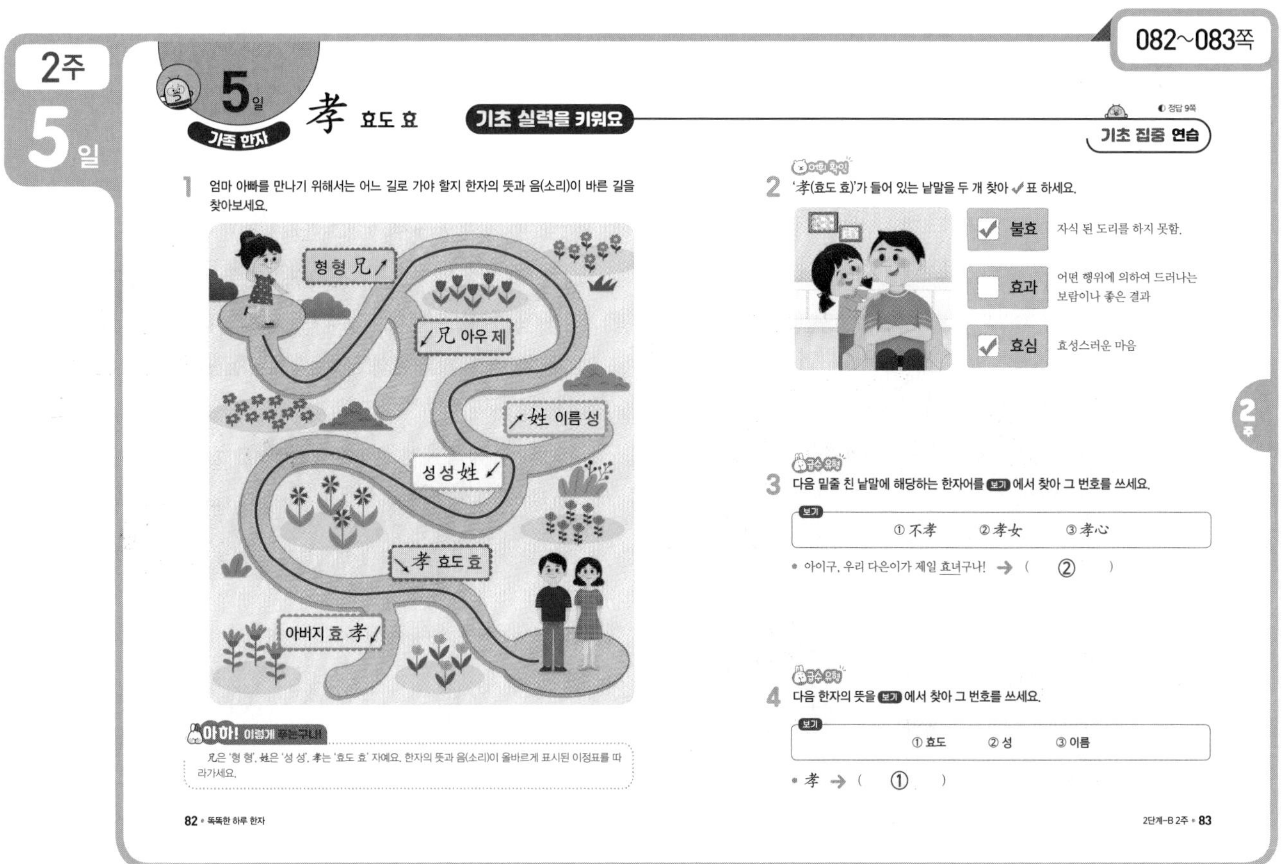

082~083쪽
2주 5일
가족 한자
孝 효도 효
기초 실력을 키워요
1 엄마 아빠를 만나기 위해서는 어느 길로 가야 할지 한자의 뜻과 음(소리)이 바른 길을 찾아보세요.
형 형 兄
兄 아우 제
姓 이름 성
성 성 姓
孝 효도 효
아버지 효 孝
아하! 이렇게 푸는구나!
兄은 '형 형', 姓은 '성 성', 孝는 '효도 효' 자예요. 한자의 뜻과 음(소리)이 올바르게 표시된 이정표를 따라가세요.
기초 집중 연습
2 '孝(효도 효)'가 들어 있는 낱말을 두 개 찾아 ✓표 하세요.
불효 자식 된 도리를 하지 못함.
효과 어떤 행위에 의하여 드러나는 보람이나 좋은 결과
효심 효성스러운 마음
3 다음 밑줄 친 낱말에 해당하는 한자어를 보기에서 찾아 그 번호를 쓰세요.
① 不孝 ② 孝女 ③ 孝心
• 아이구, 우리 다은이가 제일 효녀구나! → (②)
4 다음 한자의 뜻을 보기에서 찾아 그 번호를 쓰세요.
① 효도 ② 성 ③ 이름
• 孝 → (①)
82 • 똑똑한 하루 한자
2단계-B 2주 • 83

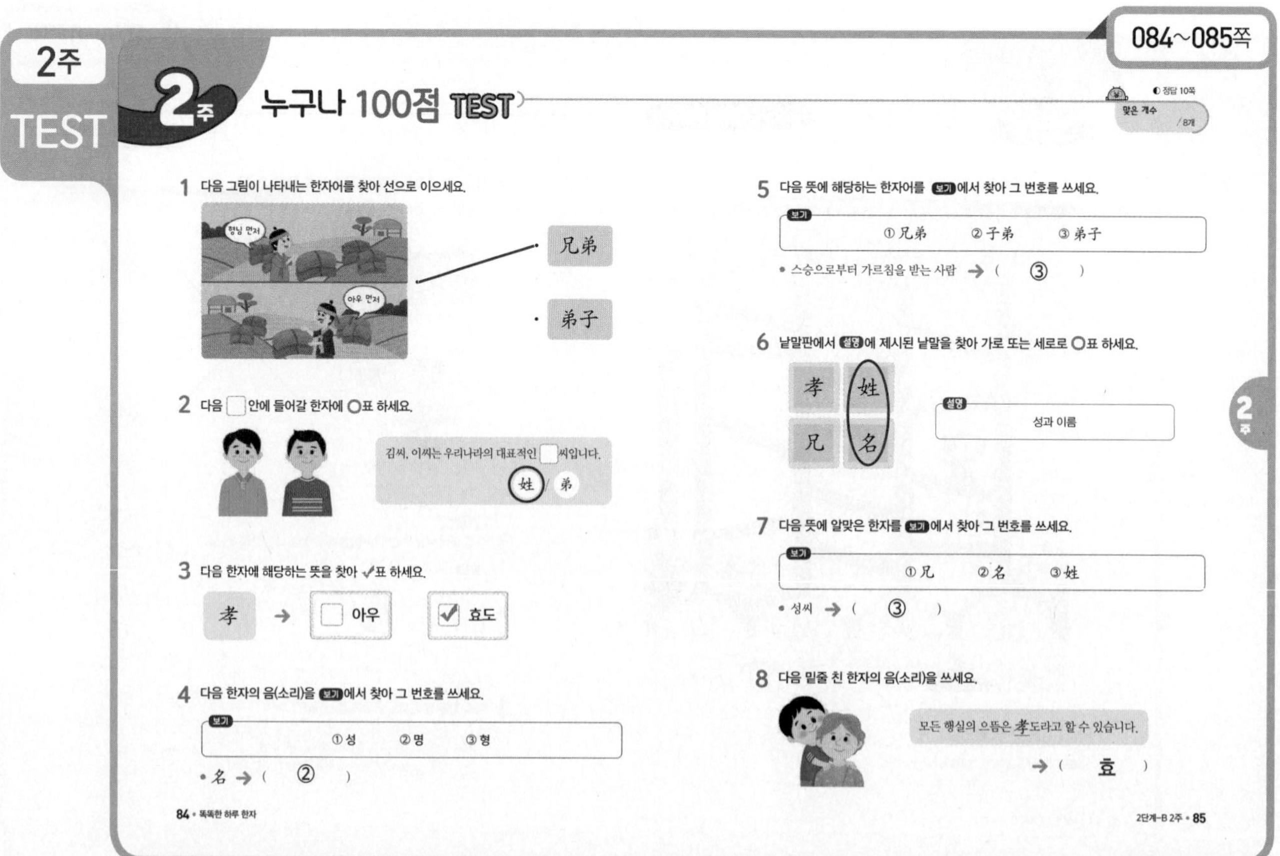
084~085쪽
2주 TEST
2주 누구나 100점 TEST
1 다음 그림이 나타내는 한자어를 찾아 선으로 이으세요.
兄弟
弟子
2 다음 안에 들어갈 한자에 ○표 하세요.
김씨, 이씨는 우리나라의 대표적인 씨입니다.
姓 / 弟
3 다음 한자에 해당하는 뜻을 찾아 ✓표 하세요.
孝 → 아우 ✓효도
4 다음 한자의 음(소리)을 보기에서 찾아 그 번호를 쓰세요.
① 성 ② 명 ③ 형
• 名 → (②)
5 다음 뜻에 해당하는 한자어를 보기에서 찾아 그 번호를 쓰세요.
① 兄弟 ② 子弟 ③ 弟子
• 스승으로부터 가르침을 받는 사람 → (③)
6 낱말판에서 설명에 제시된 낱말을 찾아 가로 또는 세로로 ○표 하세요.
孝 姓 兄 名
성과 이름
7 다음 뜻에 알맞은 한자를 보기에서 찾아 그 번호를 쓰세요.
① 兄 ② 名 ③ 姓
• 성씨 → (③)
8 다음 밑줄 친 한자의 음(소리)을 쓰세요.
모든 행실의 으뜸은 孝도라고 할 수 있습니다.
→ (효)

086~087쪽
2주 특강
2주 특강 생각을 키워요 1
창의·융합·코딩
국어+한문 다음 만화를 읽고, 성어의 뜻을 생각해 보세요.
難兄難弟
어려울 난 형 형 어려울 난 아우 제
엄마, 제가 만든 로봇이에요. 잘 만들었죠?
와, 진짜 로봇 같은데!
엄마, 이거 내가 만들었어. 나도 잘했지?
정말 잘 만들었구나. 바다에 띄우면 태평양도 건너가겠다. 대단해!
내 로봇이 최고거든!
아냐, 내 배가 더 멋져. 엄마한테 물어볼래?
얘들아, 다 잘했어. 둘 다 너무 잘 만들어서 하나만 고르긴 어려운걸.
며칠 후
이번에 한자 시험 봤는데 100점 맞았어요.
헛! 아빠 잠깐만 기다려 봐!
후다닥
아빠, 이거.
받아쓰기 공책이구나.
모두 100점 맞았네!
우리 아이들 만들기 솜씨도 공부 실력도 난형난제인걸!
히힛!
◆ 성어의 뜻을 살펴보며 빈칸에 알맞은 한자를 채우세요.
난 難 형 兄 난 難 제 弟
→ '누구를 형이라 하기도 어렵고 누구를 아우라 하기도 어렵다.'는 뜻으로, 누가 더 낫다고 할 수 없을 정도로 서로 비슷함을 이르는 말

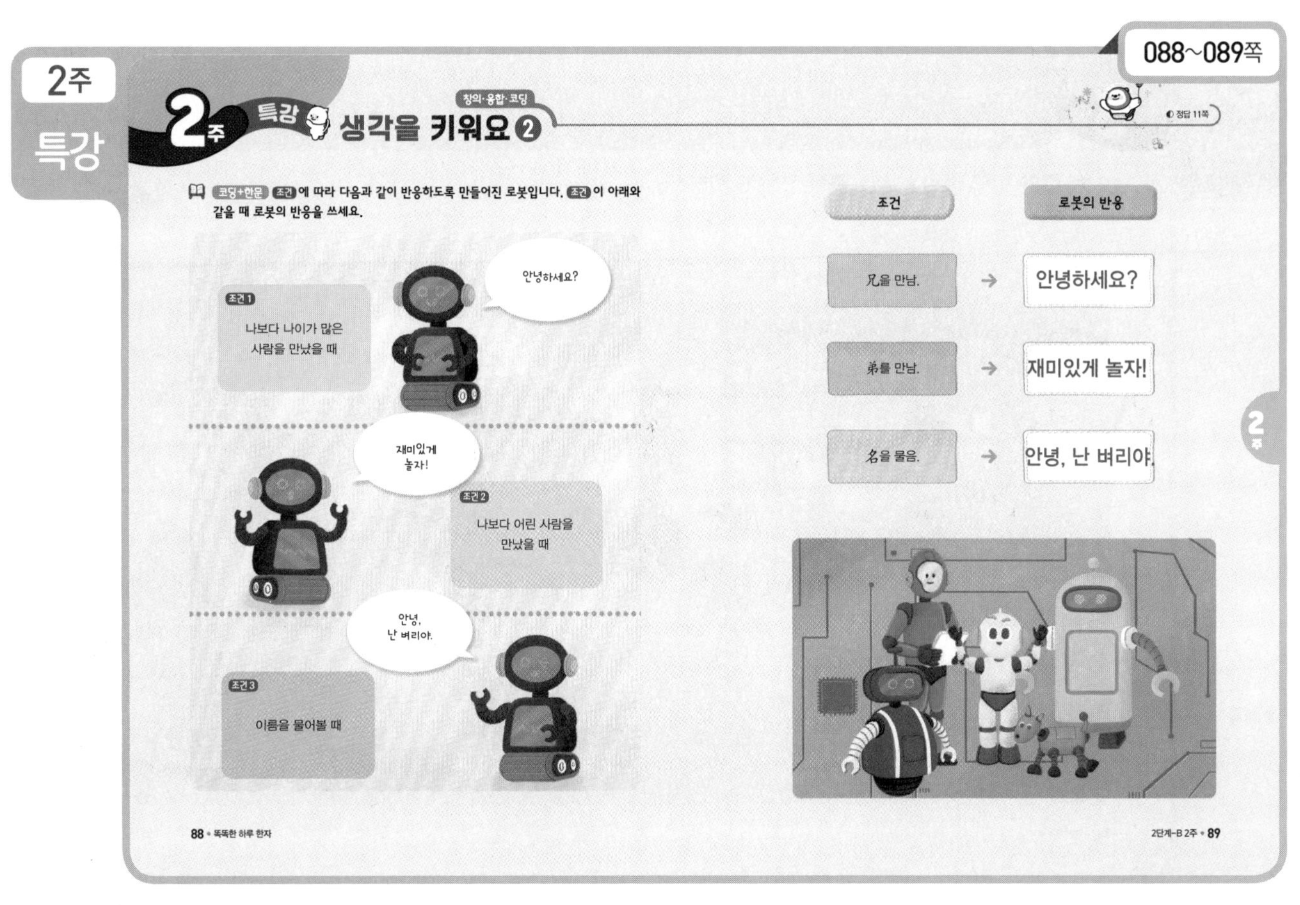
2주 특강

088~089쪽

2주 특강 창의·융합·코딩 생각을 키워요 ❷

◐ 정답 11쪽

코딩+한문 조건에 따라 다음과 같이 반응하도록 만들어진 로봇입니다. 조건이 아래와 같을 때 로봇의 반응을 쓰세요.

조건1 나보다 나이가 많은 사람을 만났을 때 — 안녕하세요?

조건2 나보다 어린 사람을 만났을 때 — 재미있게 놀자!

조건3 이름을 물어볼 때 — 안녕, 난 버리야.

조건		로봇의 반응
兄을 만남.	→	안녕하세요?
弟를 만남.	→	재미있게 놀자!
名을 물음.	→	안녕, 난 버리야.

88 • 똑똑한 하루 한자

2단계-B 2주 • 89

2주 특강

090~091쪽

2주 특강 창의·융합·코딩 생각을 키워요 ❸

◐ 정답 11쪽

도덕+한문 다음 이야기를 읽고, 물음에 답하세요.

1 이 글에 등장하는 인물과 관계없는 한자를 찾아 ✓표 하세요.

☑ 孝　☐ 弟　☐ 兄

2 동생이 황금을 물에 던진 까닭은 무엇인가요? (③)

① 황금이 작아서
② 물고기를 잡으려고
③ 마음속에 욕심이 생겨서
④ 황금에 더러운 먼지가 묻어서

3 말풍선 속 빈칸에 들어갈 알맞은 단어를 한자로 쓰세요.

답 兄 弟

90 • 똑똑한 하루 한자

2단계-B 2주 • 91

3주 도입

094~095쪽

3주 1일

100~101쪽

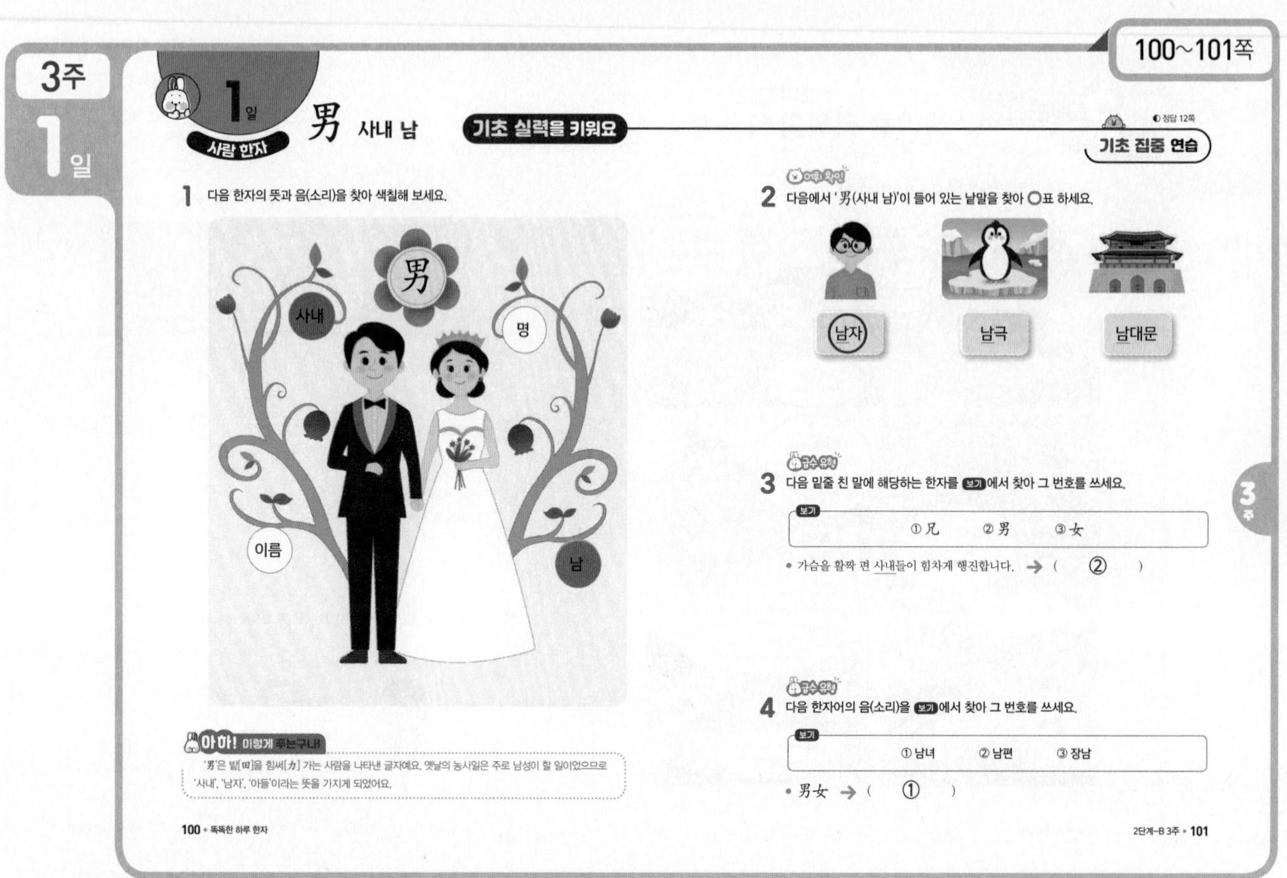

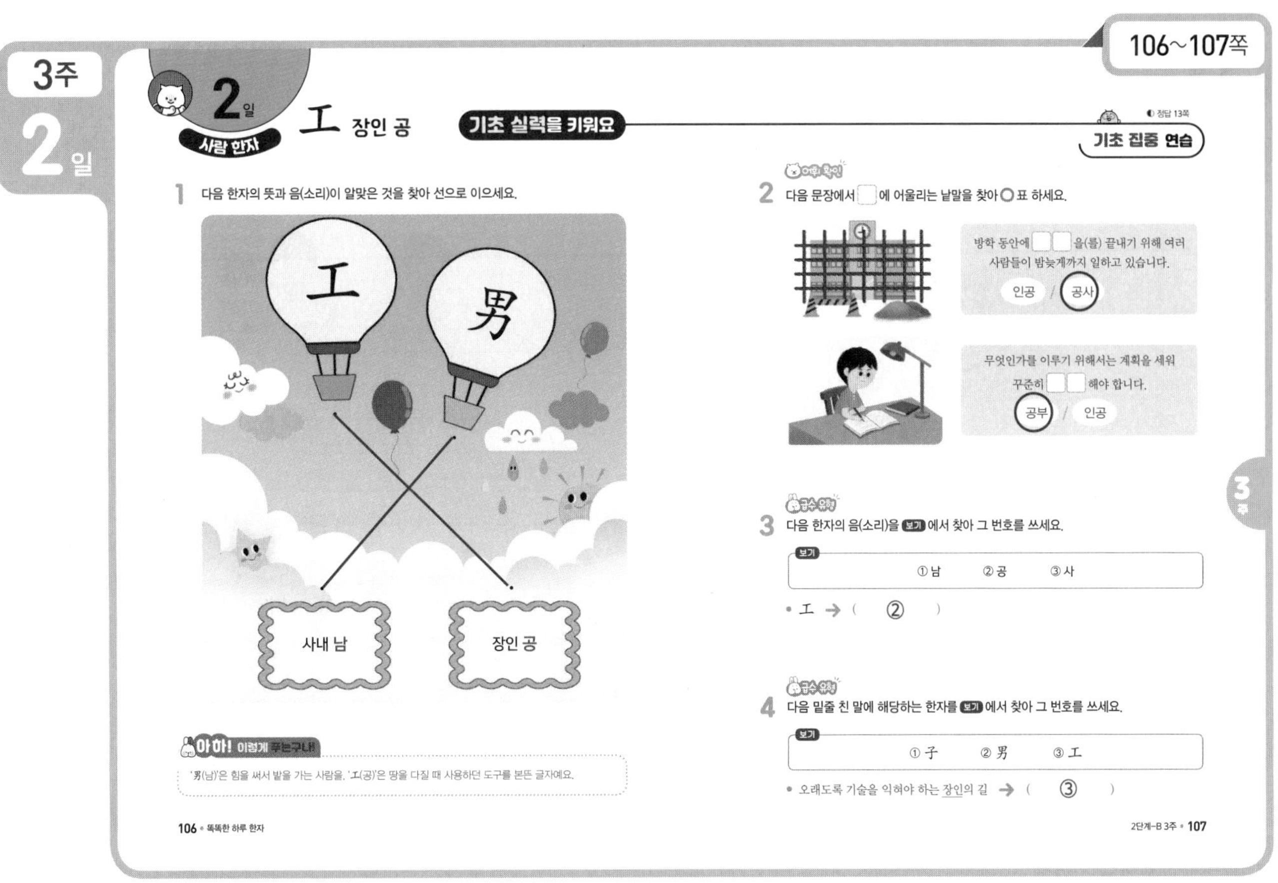
106~107쪽
3주
2일
2일 사람 한자
工 장인 공
기초 실력을 키워요
정답 13쪽
기초 집중 연습
1 다음 한자의 뜻과 음(소리)이 알맞은 것을 찾아 선으로 이으세요.
工
男
사내 남
장인 공
아하! 이렇게 푸는구나!
'男(남)'은 힘을 써서 밭을 가는 사람을, '工(공)'은 땅을 다질 때 사용하던 도구를 본뜬 글자예요.
106 • 똑똑한 하루 한자
2 다음 문장에서 □에 어울리는 낱말을 찾아 ○표 하세요.
방학 동안에 □□을(를) 끝내기 위해 여러 사람들이 밤늦게까지 일하고 있습니다.
인공 / 공사
무엇인가를 이루기 위해서는 계획을 세워 꾸준히 □□해야 합니다.
공부 / 인공
3 다음 한자의 음(소리)을 보기에서 찾아 그 번호를 쓰세요.
보기 ① 남 ② 공 ③ 사
• 工 → (②)
4 다음 밑줄 친 말에 해당하는 한자를 보기에서 찾아 그 번호를 쓰세요.
보기 ① 子 ② 男 ③ 工
• 오래도록 기술을 익혀야 하는 장인의 길 → (③)
2단계-B 3주 • 107

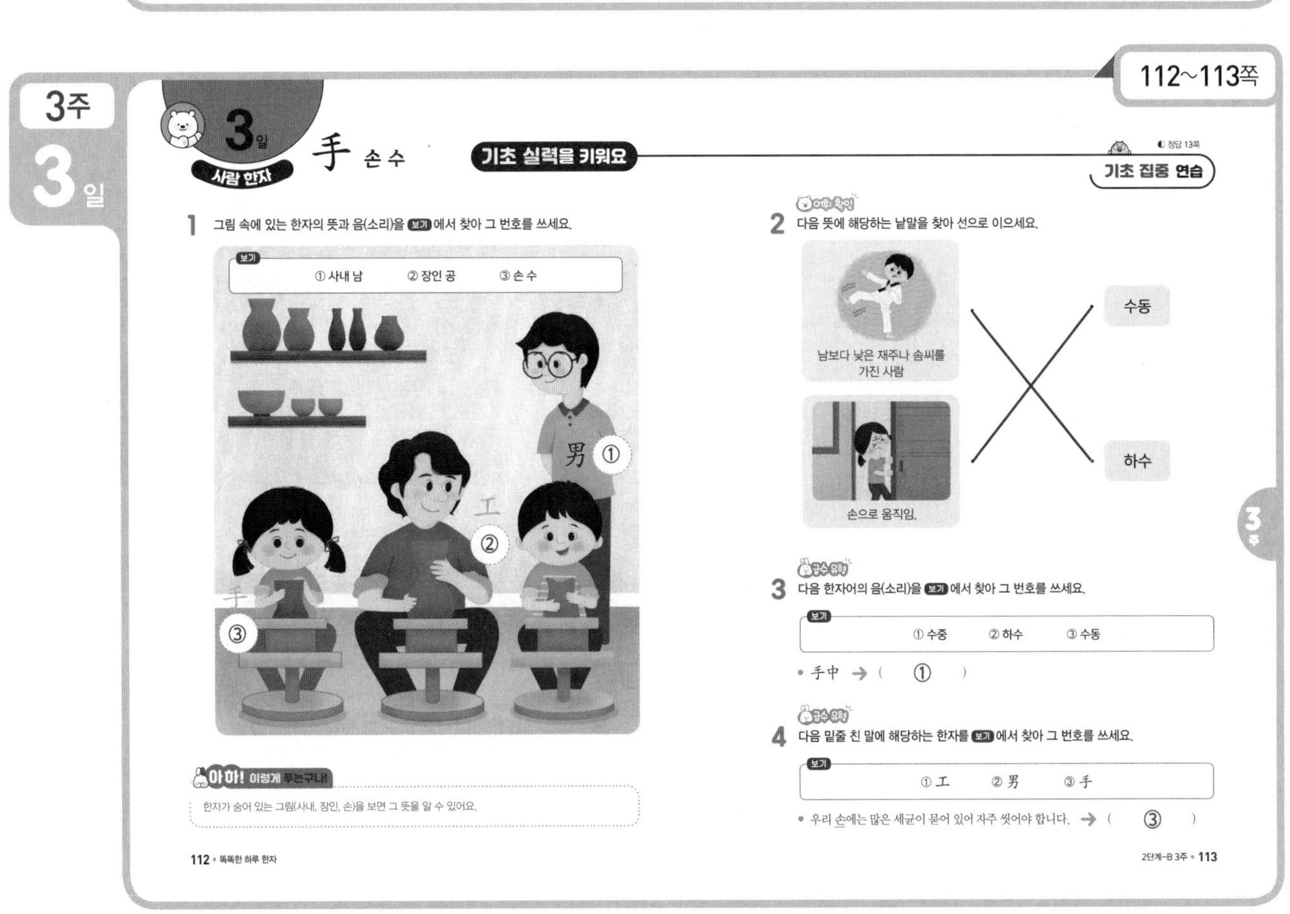
112~113쪽
3주
3일
3일 사람 한자
手 손 수
기초 실력을 키워요
정답 13쪽
기초 집중 연습
1 그림 속에 있는 한자의 뜻과 음(소리)을 보기에서 찾아 그 번호를 쓰세요.
보기 ① 사내 남 ② 장인 공 ③ 손 수
男 ①
工 ②
手 ③
아하! 이렇게 푸는구나!
한자가 숨어 있는 그림(사내, 장인, 손)을 보면 그 뜻을 알 수 있어요.
112 • 똑똑한 하루 한자
2 다음 뜻에 해당하는 낱말을 찾아 선으로 이으세요.
남보다 낮은 재주나 솜씨를 가진 사람
손으로 움직임.
수동
하수
3 다음 한자어의 음(소리)을 보기에서 찾아 그 번호를 쓰세요.
보기 ① 수중 ② 하수 ③ 수동
• 手中 → (①)
4 다음 밑줄 친 말에 해당하는 한자를 보기에서 찾아 그 번호를 쓰세요.
보기 ① 工 ② 男 ③ 手
• 우리 손에는 많은 세균이 묻어 있어 자주 씻어야 합니다. → (③)
2단계-B 3주 • 113

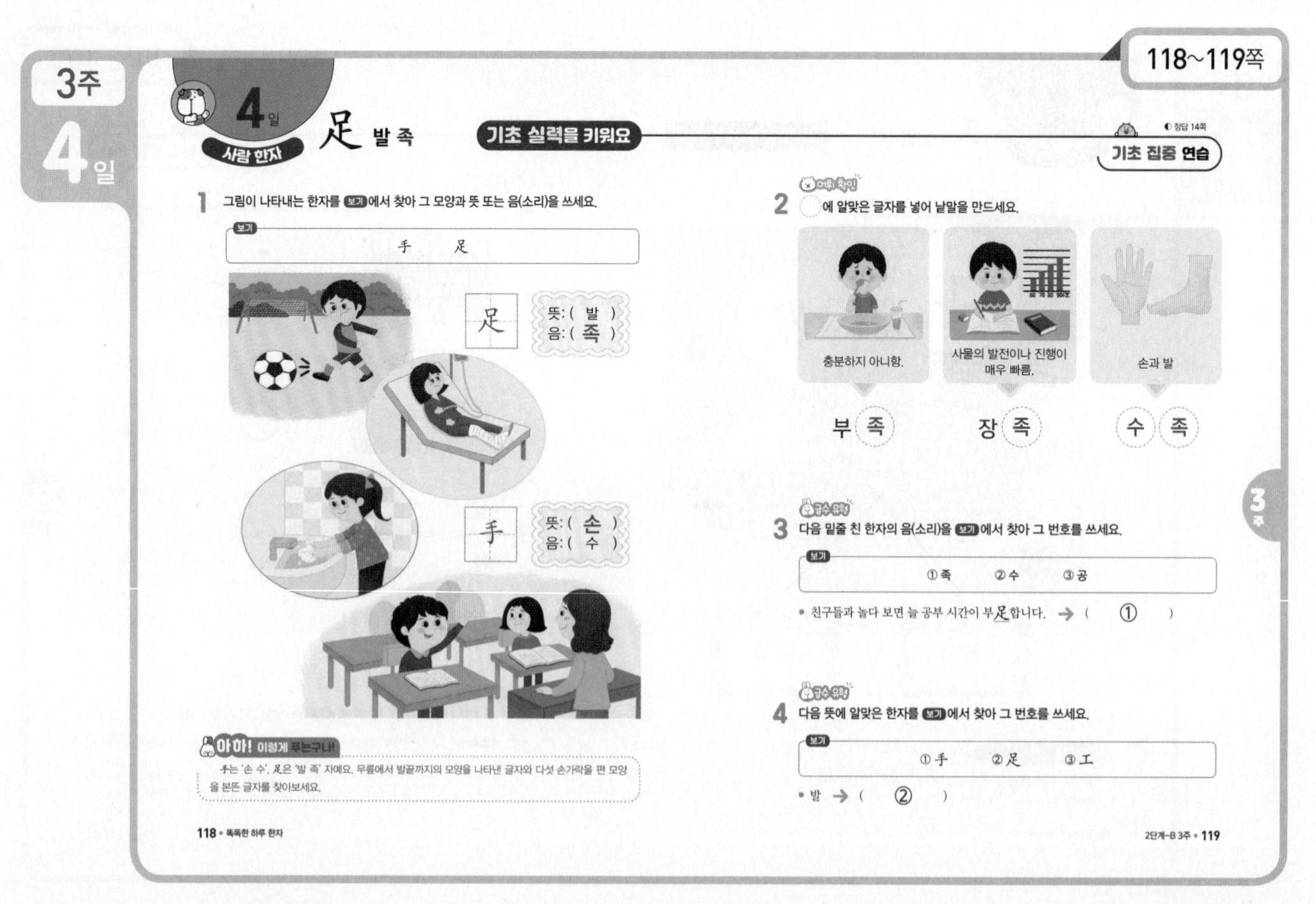
118~119쪽
3주 4일
4일 사람 한자 足 발 족 기초 실력을 키워요
1 그림이 나타내는 한자를 보기에서 찾아 그 모양과 뜻 또는 음(소리)을 쓰세요.
보기 手 足
足 뜻:(발) 음:(족)
手 뜻:(손) 음:(수)
아하! 이렇게 푸는구나
手는 '손 수', 足은 '발 족' 자예요. 무릎에서 발끝까지의 모양을 나타낸 글자와 다섯 손가락을 편 모양을 본뜬 글자를 찾아보세요.
118 • 뚝딱한 하루 한자
정답 14쪽
기초 집중 연습
2 ◯에 알맞은 글자를 넣어 낱말을 만드세요.
충분하지 아니함. 부 족
사물의 발전이나 진행이 매우 빠름. 장 족
손과 발 수 족
3 다음 밑줄 친 한자의 음(소리)을 보기에서 찾아 그 번호를 쓰세요.
보기 ①족 ②수 ③공
• 친구들과 놀다 보면 늘 공부 시간이 부足합니다. → (①)
4 다음 뜻에 알맞은 한자를 보기에서 찾아 그 번호를 쓰세요.
보기 ①手 ②足 ③工
• 발 → (②)
2단계-B 3주 • 119

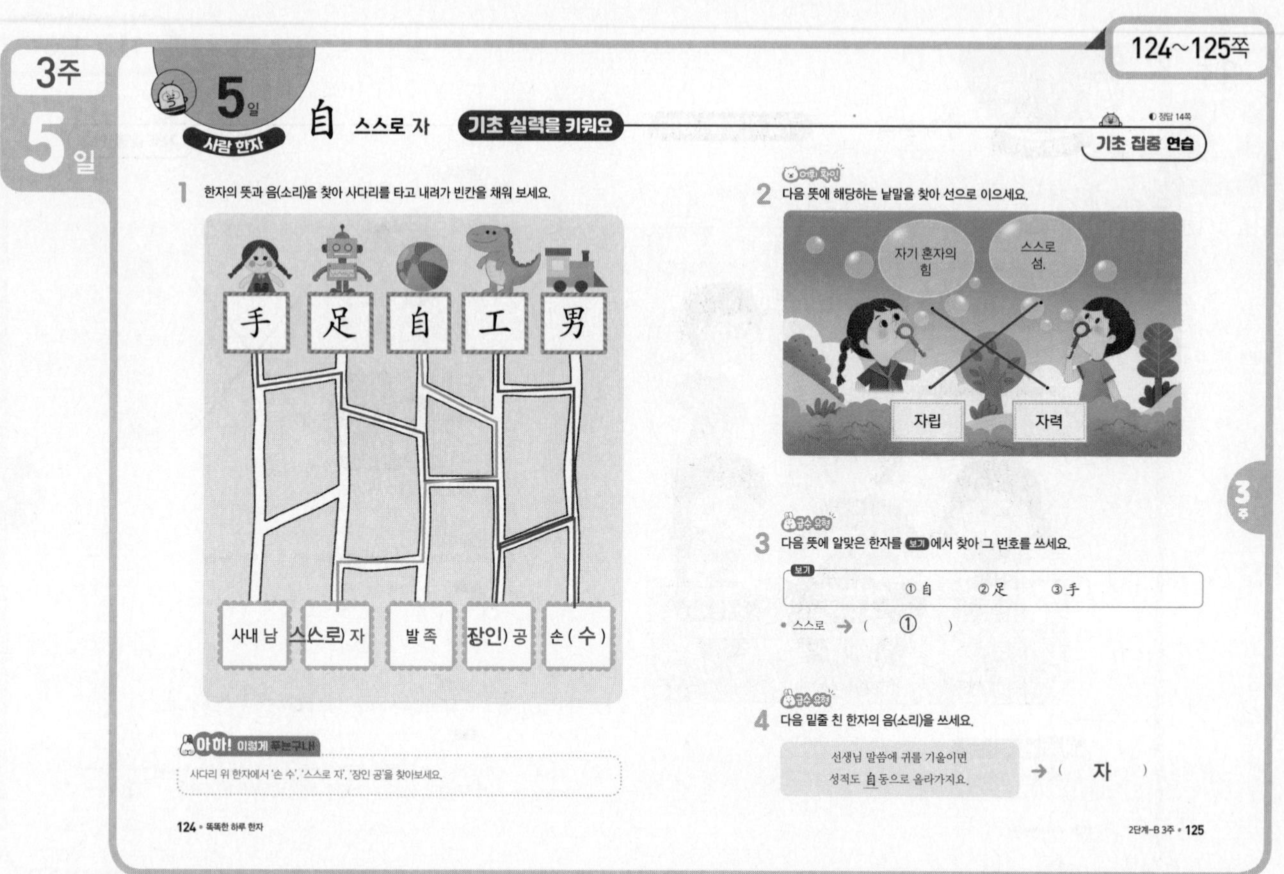
124~125쪽
3주 5일
5일 사람 한자 自 스스로 자 기초 실력을 키워요
1 한자의 뜻과 음(소리)을 찾아 사다리를 타고 내려가 빈칸을 채워 보세요.
手 足 自 工 男
사내 남 (스스로) 자 발 족 (장인) 공 손 (수)
아하! 이렇게 푸는구나
사다리 위 한자에서 '손 수', '스스로 자', '장인 공'을 찾아보세요.
124 • 뚝딱한 하루 한자
정답 14쪽
기초 집중 연습
2 다음 뜻에 해당하는 낱말을 찾아 선으로 이으세요.
자기 혼자의 힘
스스로 섬.
자립
자력
3 다음 뜻에 알맞은 한자를 보기에서 찾아 그 번호를 쓰세요.
보기 ①自 ②足 ③手
• 스스로 → (①)
4 다음 밑줄 친 한자의 음(소리)을 쓰세요.
선생님 말씀에 귀를 기울이면 성적도 自동으로 올라가지요.
→ (자)
2단계-B 3주 • 125

3주 TEST — 126~127쪽

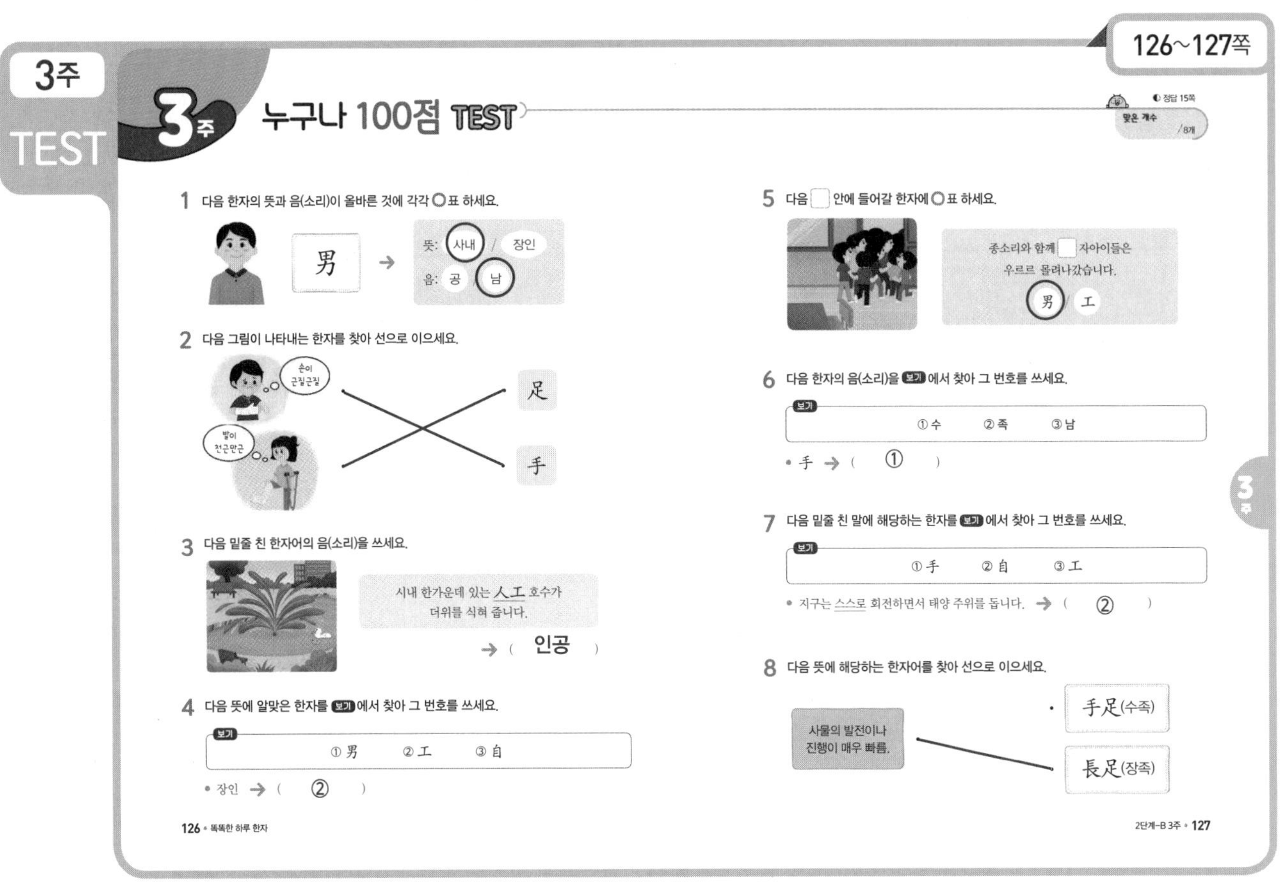

3주 누구나 100점 TEST

정답 15쪽
맞은 개수 /8개

1 다음 한자의 뜻과 음(소리)이 올바른 것에 각각 ○표 하세요.

男 → 뜻: (사내) / 장인 음: 공 / (남)

2 다음 그림이 나타내는 한자를 찾아 선으로 이으세요.

손이 근질근질 — 手
발이 천근만근 — 足

3 다음 밑줄 친 한자어의 음(소리)을 쓰세요.

시내 한가운데 있는 人工 호수가 더위를 식혀 줍니다.

→ (인공)

4 다음 뜻에 알맞은 한자를 보기에서 찾아 그 번호를 쓰세요.

보기: ① 男 ② 工 ③ 自

• 장인 → (②)

5 다음 □ 안에 들어갈 한자에 ○표 하세요.

종소리와 함께 □ 자아이들은 우르르 몰려나갔습니다.

(男) / 工

6 다음 한자의 음(소리)을 보기에서 찾아 그 번호를 쓰세요.

보기: ① 수 ② 족 ③ 남

• 手 → (①)

7 다음 밑줄 친 말에 해당하는 한자를 보기에서 찾아 그 번호를 쓰세요.

보기: ① 手 ② 自 ③ 工

• 지구는 스스로 회전하면서 태양 주위를 돕니다. → (②)

8 다음 뜻에 해당하는 한자어를 찾아 선으로 이으세요.

사물의 발전이나 진행이 매우 빠름. — 長足(장족)

手足(수족)

3주 특강 — 128~129쪽

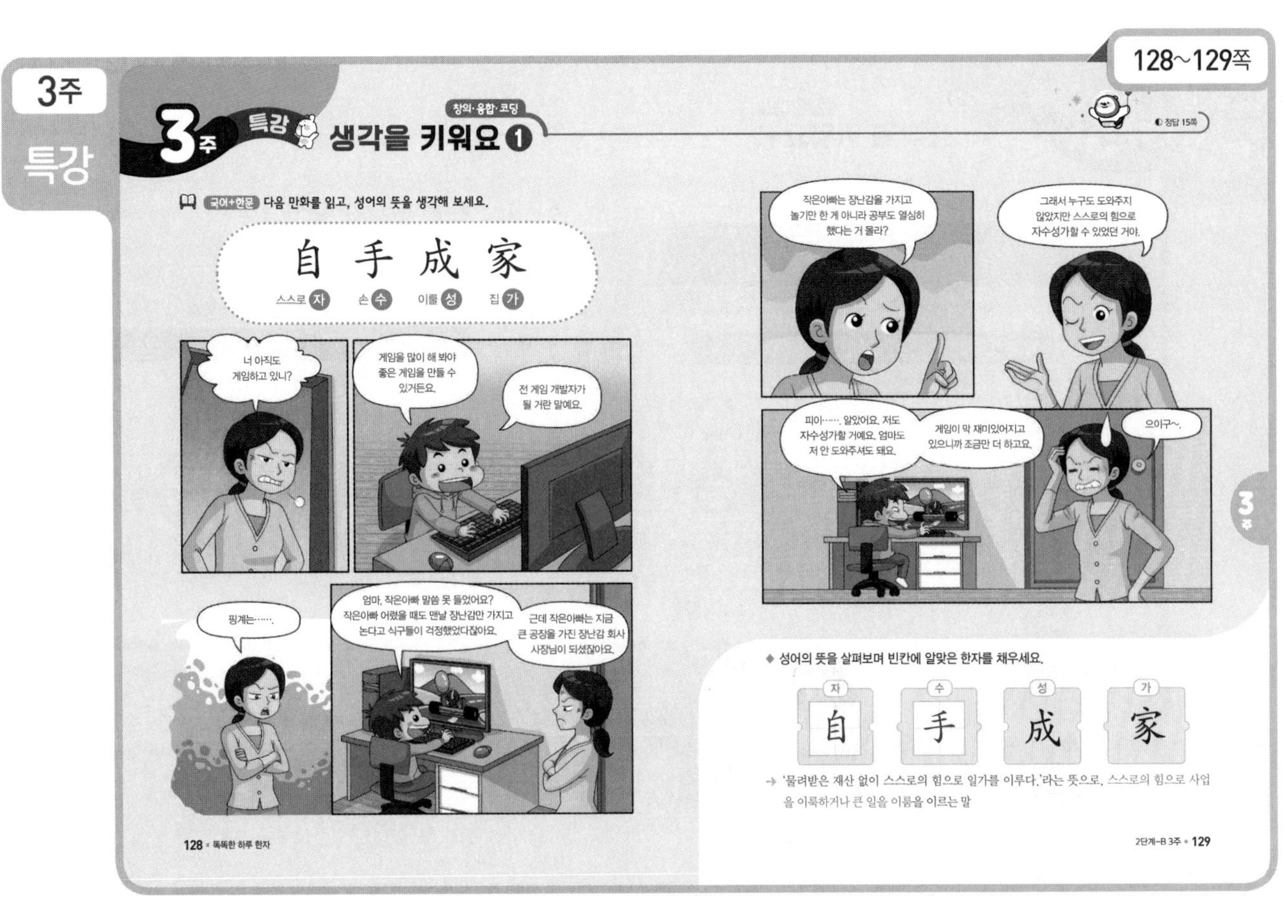

3주 특강 생각을 키워요 ❶ (창의·융합·코딩)

정답 15쪽

국어+한문 다음 만화를 읽고, 성어의 뜻을 생각해 보세요.

自 手 成 家
스스로 자 손 수 이룰 성 집 가

◆ 성어의 뜻을 살펴보며 빈칸에 알맞은 한자를 채우세요.

자	수	성	가
自	手	成	家

→ '물려받은 재산 없이 스스로의 힘으로 일가를 이루다.'라는 뜻으로, 스스로의 힘으로 사업을 이룩하거나 큰 일을 이룸을 이르는 말

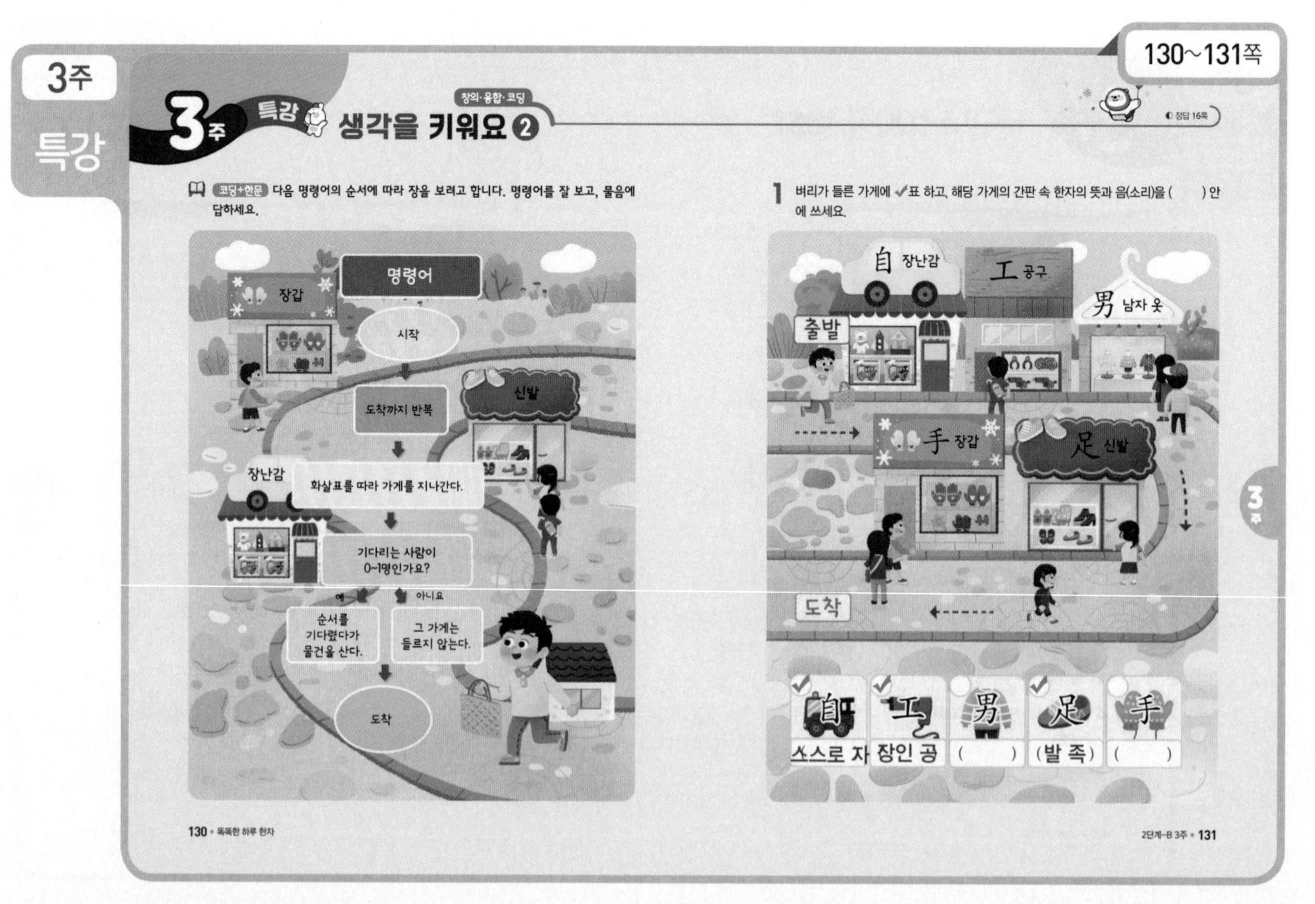
3주 특강

130~131쪽

3주 특강 생각을 키워요 ❷

창의·융합·코딩

ⓒ 정답 16쪽

코딩+한문 다음 명령어의 순서에 따라 장을 보려고 합니다. 명령어를 잘 보고, 물음에 답하세요.

1 버리가 들른 가게에 ✓표 하고, 해당 가게의 간판 속 한자의 뜻과 음(소리)을 ( ) 안에 쓰세요.

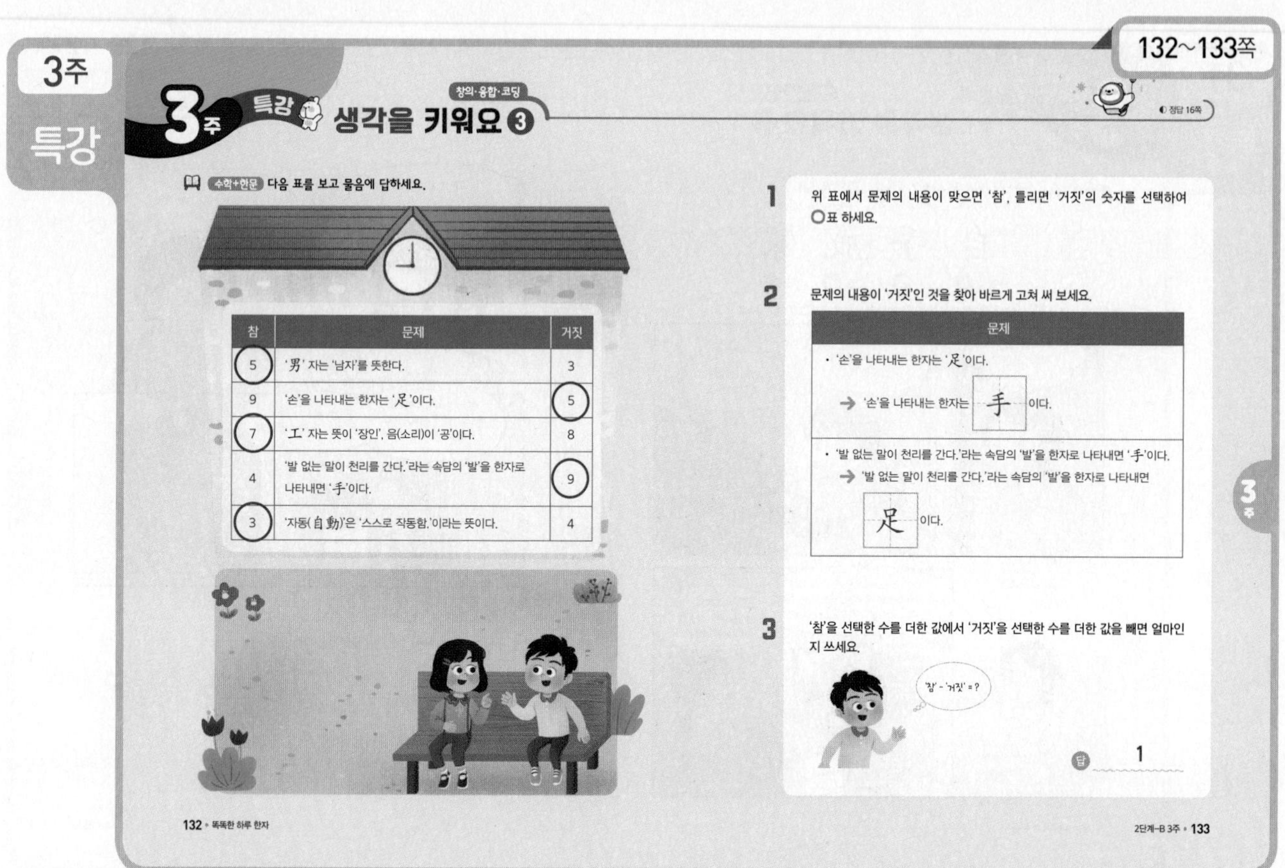
3주 특강

132~133쪽

3주 특강 생각을 키워요 ❸

창의·융합·코딩

ⓒ 정답 16쪽

수학+한문 다음 표를 보고 물음에 답하세요.

참	문제	거짓
(5)	'男' 자는 '남자'를 뜻한다.	3
9	'손'을 나타내는 한자는 '足'이다.	(5)
(7)	'工' 자는 뜻이 '장인', 음(소리)이 '공'이다.	8
4	'발 없는 말이 천리를 간다.'라는 속담의 '발'을 한자로 나타내면 '手'이다.	(9)
(3)	'자동(自動)'은 '스스로 작동함.'이라는 뜻이다.	4

1 위 표에서 문제의 내용이 맞으면 '참', 틀리면 '거짓'의 숫자를 선택하여 ○표 하세요.

2 문제의 내용이 '거짓'인 것을 찾아 바르게 고쳐 써 보세요.

문제
• '손'을 나타내는 한자는 '足'이다. → '손'을 나타내는 한자는 手 이다.
• '발 없는 말이 천리를 간다.'라는 속담의 '발'을 한자로 나타내면 '手'이다. → '발 없는 말이 천리를 간다.'라는 속담의 '발'을 한자로 나타내면 足 이다.

3 '참'을 선택한 수를 더한 값에서 '거짓'을 선택한 수를 더한 값을 빼면 얼마인지 쓰세요.

답 1

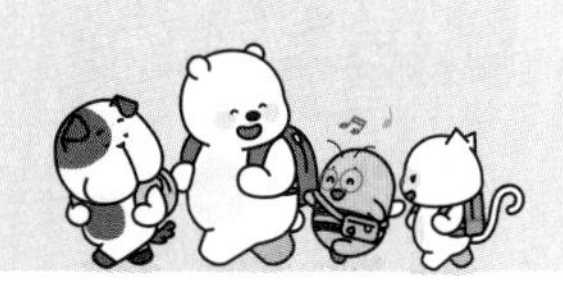

4주 도입

136~137쪽

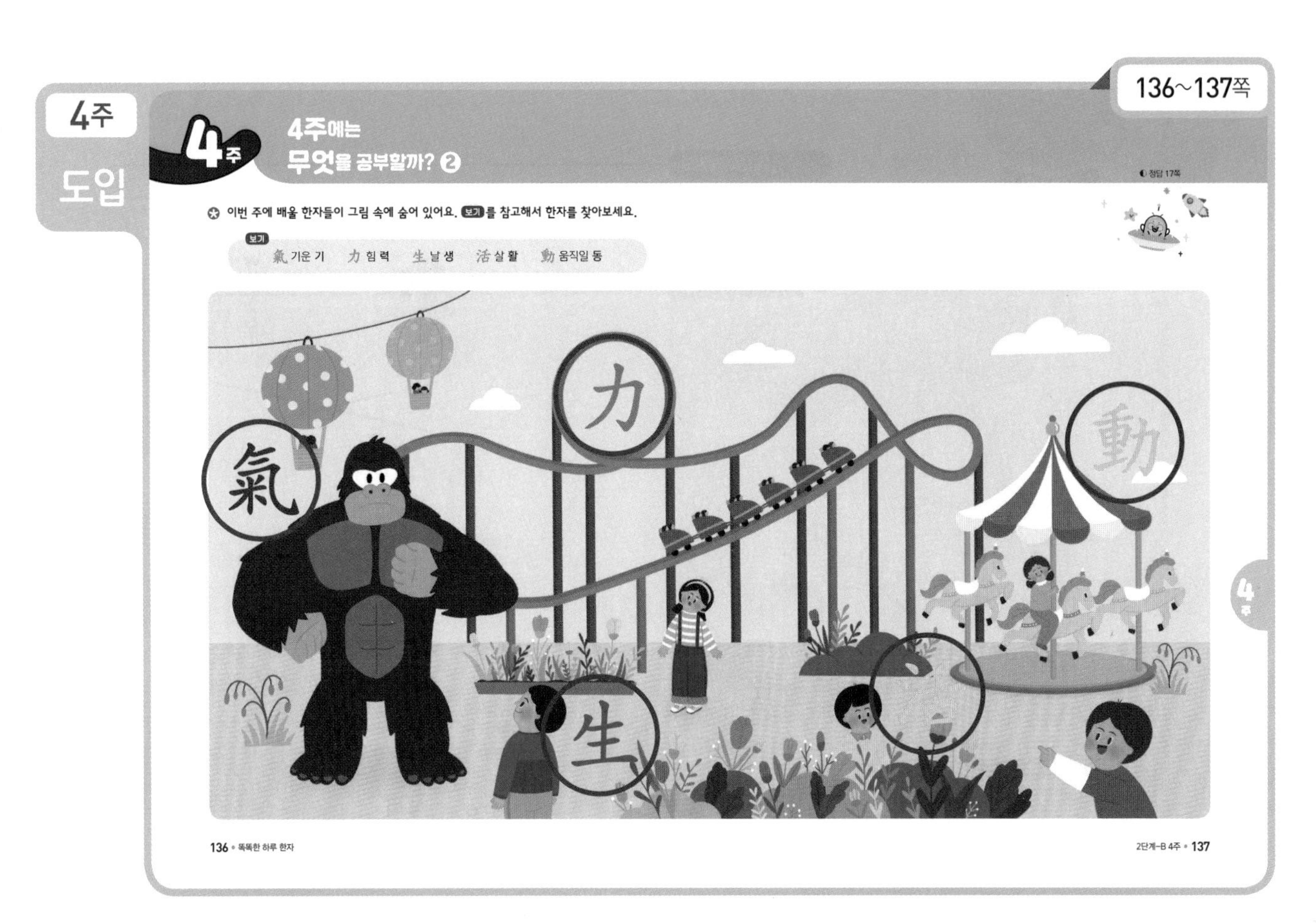

4주
4주에는
무엇을 공부할까? ②
이번 주에 배울 한자들이 그림 속에 숨어 있어요. 보기를 참고해서 한자를 찾아보세요.
보기
氣 기운 기 力 힘 력 生 날 생 活 살 활 動 움직일 동
氣
力
動
生
136 똑똑한 하루 한자
2단계-B 4주 137

4주 1일

142~143쪽

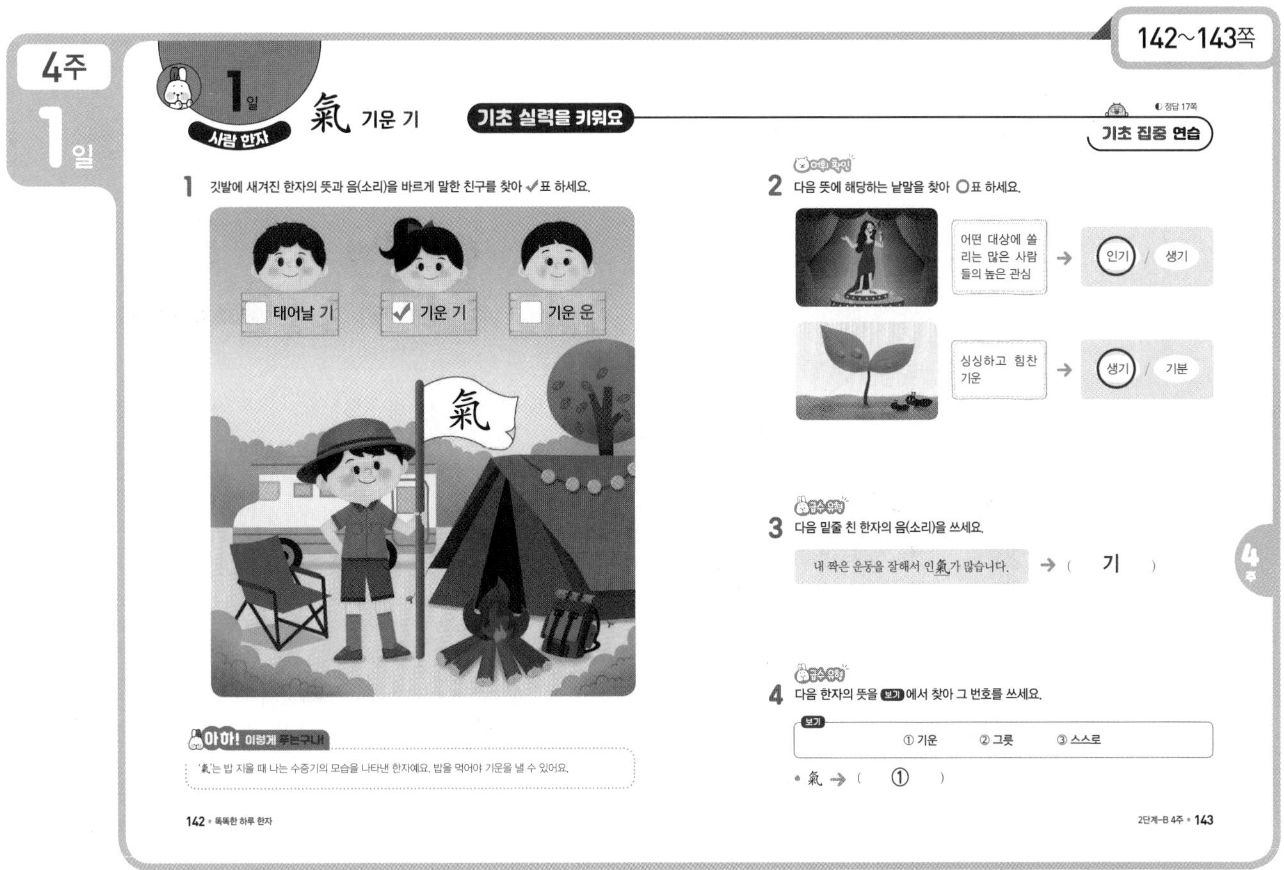

1일
사람 한자
氣 기운 기
기초 실력을 키워요
기초 집중 연습
1 깃발에 새겨진 한자의 뜻과 음(소리)을 바르게 말한 친구를 찾아 ✓표 하세요.
태어날 기
✓ 기운 기
기운 운
氣
2 다음 뜻에 해당하는 낱말을 찾아 ○표 하세요.
어떤 대상에 쏠리는 많은 사람들의 높은 관심 → 인기 / 생기
싱싱하고 힘찬 기운 → 생기 / 기분
3 다음 밑줄 친 한자의 음(소리)을 쓰세요.
내 짝은 운동을 잘해서 인氣가 많습니다. → (기)
4 다음 한자의 뜻을 보기에서 찾아 그 번호를 쓰세요.
보기 ① 기운 ② 그릇 ③ 스스로
• 氣 → (①)
아하! 이렇게 푸는구나!
'氣'는 밥 지을 때 나는 수증기의 모습을 나타낸 한자예요. 밥을 먹어야 기운을 낼 수 있어요.
142 똑똑한 하루 한자
2단계-B 4주 143

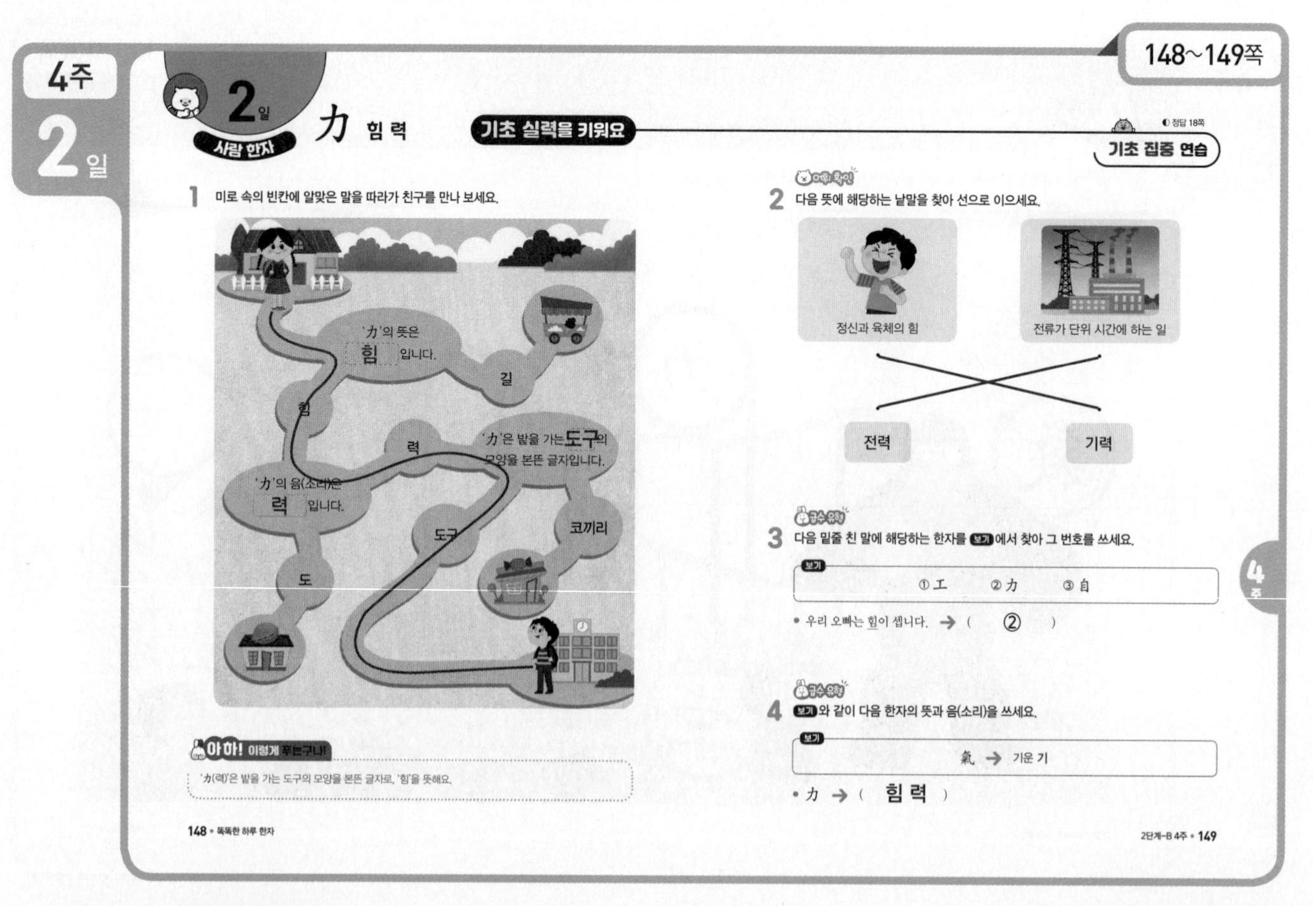
4주
2일
148~149쪽
2일
사람 한자
力 힘 력
기초 실력을 키워요
1 미로 속의 빈칸에 알맞은 말을 따라가 친구를 만나 보세요.
'力'의 뜻은 힘 입니다.
길
힘
력
'力'은 밭을 가는 도구의 모양을 본뜬 글자입니다.
'力'의 음(소리)은 력 입니다.
도구
코끼리
도
아하! 이렇게 푸는구나
'力(력)'은 밭을 가는 도구의 모양을 본뜬 글자로, '힘'을 뜻해요.
148 • 똑똑한 하루 한자
정답 18쪽
기초 집중 연습
2 다음 뜻에 해당하는 낱말을 찾아 선으로 이으세요.
정신과 육체의 힘
전류가 단위 시간에 하는 일
전력
기력
3 다음 밑줄 친 말에 해당하는 한자를 보기에서 찾아 그 번호를 쓰세요.
보기
① 工 ② 力 ③ 自
• 우리 오빠는 힘이 셉니다. → (②)
4 보기와 같이 다음 한자의 뜻과 음(소리)을 쓰세요.
보기
氣 → 기운 기
• 力 → (힘 력)
2단계-B 4주 • 149

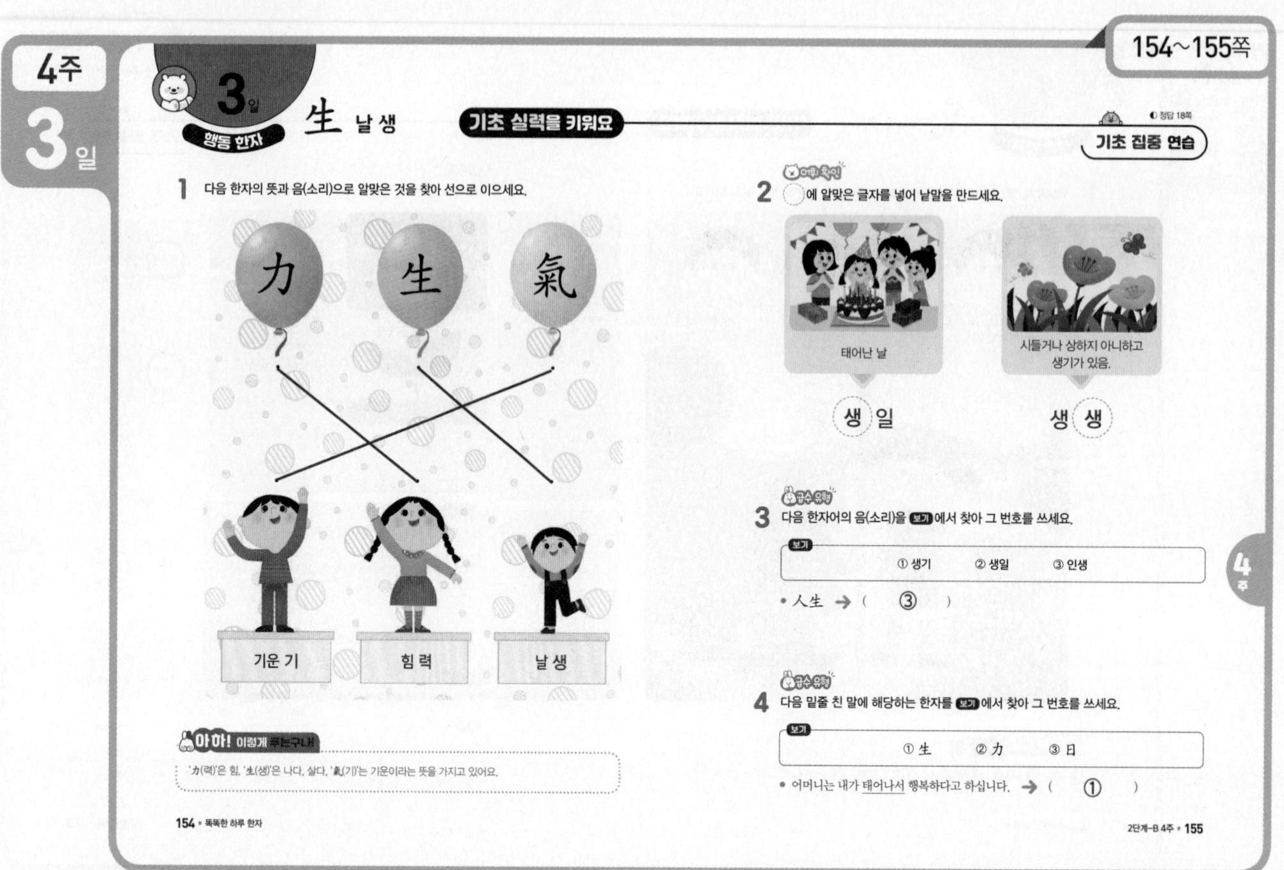
4주
3일
154~155쪽
3일
행동 한자
生 날 생
기초 실력을 키워요
1 다음 한자의 뜻과 음(소리)으로 알맞은 것을 찾아 선으로 이으세요.
力
生
氣
기운 기
힘 력
날 생
아하! 이렇게 푸는구나
'力(력)'은 힘, '生(생)'은 나다, 살다, '氣(기)'는 기운이라는 뜻을 가지고 있어요.
154 • 똑똑한 하루 한자
정답 18쪽
기초 집중 연습
2 ○에 알맞은 글자를 넣어 낱말을 만드세요.
태어난 날
시들거나 상하지 아니하고 생기가 있음.
생 일
생 생
3 다음 한자어의 음(소리)을 보기에서 찾아 그 번호를 쓰세요.
보기
① 생기 ② 생일 ③ 인생
• 人生 → (③)
4 다음 밑줄 친 말에 해당하는 한자를 보기에서 찾아 그 번호를 쓰세요.
보기
① 生 ② 力 ③ 日
• 어머니는 내가 태어나서 행복하다고 하십니다. → (①)
2단계-B 4주 • 155

160~161쪽

4주 4일

4일 행동 한자

活 살 활

기초 실력을 키워요

정답 19쪽

기초 집중 연습

1 그림 속에 숨어 있는 보기 의 한자를 찾아 ○표 하고, 그 뜻과 음(소리)을 쓰세요.

보기

活 力 生

아하! 이렇게 푸는구나!

한자의 모양에 유의하며 그림을 살펴보면서 '살 활', '힘 력', '날 생' 자를 찾아보세요.

어휘 확인

2 낱말판에서 설명 에 해당하는 낱말을 찾아 ○표 하세요.

설명

활동력이 있거나 활발한 기운

활	생	력
력	활	기
생	력	생

급수 완성

3 다음 밑줄 친 낱말에 해당하는 한자어를 보기 에서 찾아 그 번호를 쓰세요.

보기

① 生活 ② 活氣 ③ 活力

• 홀로 생활하고 계시는 어르신들을 돕기 위해 바자회를 열었습니다.

→ (①)

급수 완성

4 다음 한자의 뜻을 보기 에서 찾아 그 번호를 쓰세요.

보기

① 먹다 ② 살다 ③ 말하다

• 活 → (②)

160 • 똑똑한 하루 한자

2단계-B 4주 • 161

166~167쪽

4주 5일

5일 행동 한자

動 움직일 동

기초 실력을 키워요

정답 19쪽

기초 집중 연습

1 출발부터 도착까지 가로 또는 세로로 '動'의 뜻이나 음(소리)으로 이어지도록 해당 칸을 색칠하세요.

출발

動	움직이다	동	살다	생
살다	활	움직이다	활	나다
생	움직이다	동	움직이다	생
나다	동	살다	동	動

도착

아하! 이렇게 푸는구나!

動의 뜻과 음(소리)은 '움직일 동'이에요. 무거운 물건을 힘써 옮기는 모습을 나타낸 글자예요.

어휘 확인

2 다음에서 '動(움직일 동)'이 들어 있는 낱말을 찾아 ○표 하세요.

자동차 동생 동대문

급수 완성

3 다음 밑줄 친 말에 해당하는 한자를 보기 에서 찾아 그 번호를 쓰세요.

보기

① 活 ② 動 ③ 力

• 운동장을 세 바퀴 돌고 나자 힘이 빠져 움직임이 둔해졌습니다.

→ (②)

급수 완성

4 다음 뜻에 알맞은 한자어를 보기 에서 찾아 그 번호를 쓰세요.

보기

① 動力 ② 動物 ③ 活動

• 몸을 움직여 행동함. → (③)

166 • 똑똑한 하루 한자

2단계-B 4주 • 167

4주 TEST

168~169쪽

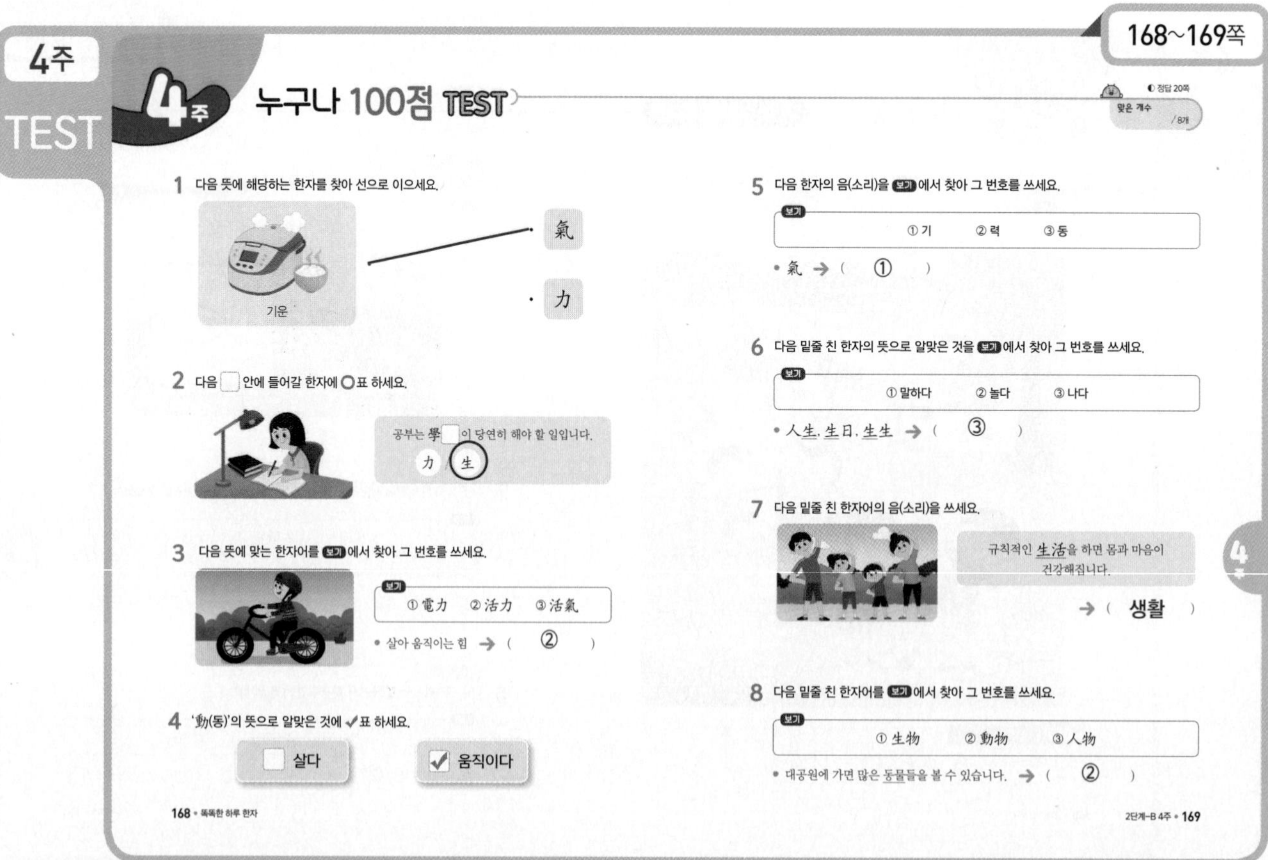

4주 누구나 100점 TEST

정답 20쪽
맞은 개수 /8개

1 다음 뜻에 해당하는 한자를 찾아 선으로 이으세요.

기운 — 氣
· 力

2 다음 □ 안에 들어갈 한자에 ○표 하세요.

공부는 學□이 당연히 해야 할 일입니다.
力 (生)

3 다음 뜻에 맞는 한자어를 보기에서 찾아 그 번호를 쓰세요.

보기: ① 電力 ② 活力 ③ 活氣

• 살아 움직이는 힘 → (②)

4 '動(동)'의 뜻으로 알맞은 것에 ✓표 하세요.

□ 살다 ☑ 움직이다

5 다음 한자의 음(소리)을 보기에서 찾아 그 번호를 쓰세요.

보기: ① 기 ② 력 ③ 동

• 氣 → (①)

6 다음 밑줄 친 한자의 뜻으로 알맞은 것을 보기에서 찾아 그 번호를 쓰세요.

보기: ① 말하다 ② 놀다 ③ 나다

• 人生, 生日, 生生 → (③)

7 다음 밑줄 친 한자어의 음(소리)을 쓰세요.

규칙적인 生活을 하면 몸과 마음이 건강해집니다.

→ (생활)

8 다음 밑줄 친 한자어를 보기에서 찾아 그 번호를 쓰세요.

보기: ① 生物 ② 動物 ③ 人物

• 대공원에 가면 많은 동물들을 볼 수 있습니다. → (②)

168 • 똑똑한 하루 한자 2단계-B 4주 • 169

4주 특강

170~171쪽

4주 특강 생각을 키워요 ①

창의·융합·코딩

정답 20쪽

국어+한문 다음 만화를 읽고, 성어의 뜻을 생각해 보세요.

氣 高 萬 丈
기운 기 높을 고 일만 만 어른 장

다음 주 축구 시합 준비는 잘 되어 가니?
그럼. 나 같은 천재 스트라이커가 있는데 무슨 걱정이야!
아주 기고만장하구먼.
기고만장?
너무 우쭐대지 말란 말이야.
걱정하지 마. 내 실력 정도면 당연히 뽐내 줘야지. 난 천재니까! 음하하하!
왠지 불안한데…….
시합 당일
절대로 지지 않을 거야!
뻥~
!!!
아이고, 자책골을 넣으면 어떡해!

◆ 성어의 뜻을 살펴보며 빈칸에 알맞은 한자를 채우세요.

기 氣 고 高 만 萬 장 丈

→ '펄펄 뛸 만큼 대단히 성이 남.'이라는 뜻으로, 일이 뜻대로 잘될 때 우쭐하여 뽐내는 기세가 대단함을 이르는 말

170 • 똑똑한 하루 한자 2단계-B 4주 • 171

4주 특강

172~173쪽

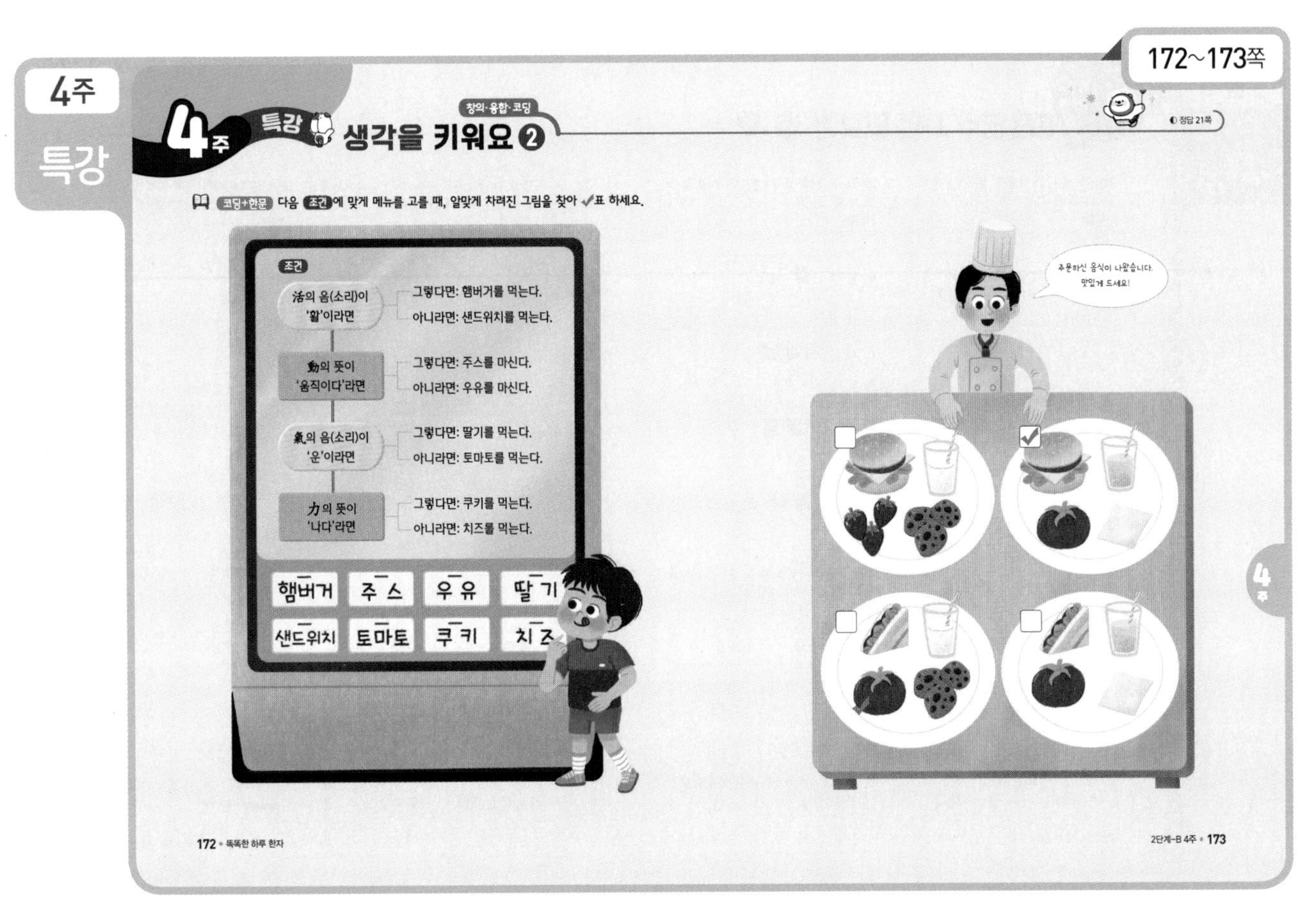

4주 특강 창의·융합·코딩 생각을 키워요 ❷

◐ 정답 21쪽

코딩+한문 다음 조건에 맞게 메뉴를 고를 때, 알맞게 차려진 그림을 찾아 ✔표 하세요.

조건

- 活의 음(소리)이 '활'이라면
  - 그렇다면: 햄버거를 먹는다.
  - 아니라면: 샌드위치를 먹는다.
- 動의 뜻이 '움직이다'라면
  - 그렇다면: 주스를 마신다.
  - 아니라면: 우유를 마신다.
- 氣의 음(소리)이 '운'이라면
  - 그렇다면: 딸기를 먹는다.
  - 아니라면: 토마토를 먹는다.
- 力의 뜻이 '나다'라면
  - 그렇다면: 쿠키를 먹는다.
  - 아니라면: 치즈를 먹는다.

4주 특강

174~175쪽

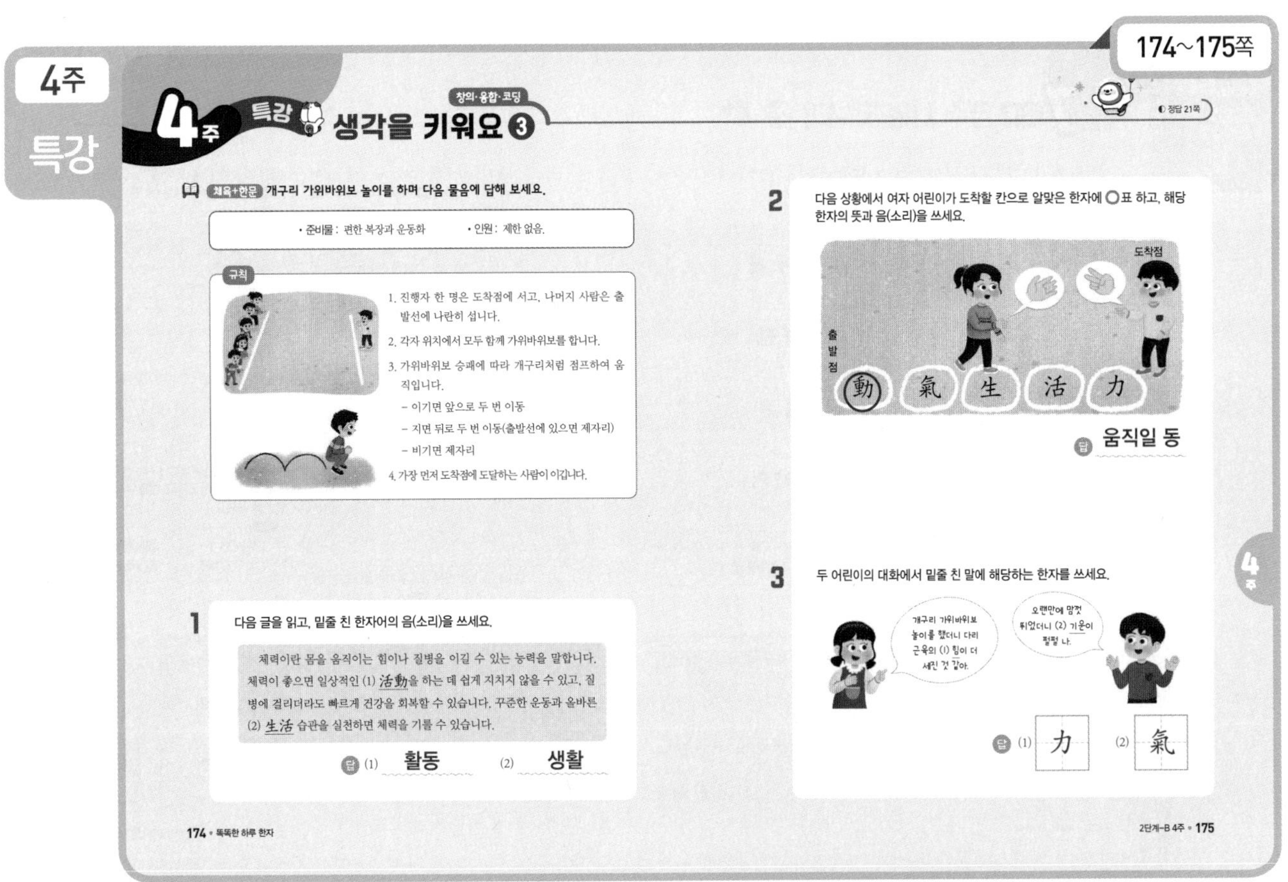

4주 특강 창의·융합·코딩 생각을 키워요 ❸

◐ 정답 21쪽

체육+한문 개구리 가위바위보 놀이를 하며 다음 물음에 답해 보세요.

• 준비물 : 편한 복장과 운동화 • 인원 : 제한 없음.

규칙

1. 진행자 한 명은 도착점에 서고, 나머지 사람은 출발선에 나란히 섭니다.
2. 각자 위치에서 모두 함께 가위바위보를 합니다.
3. 가위바위보 승패에 따라 개구리처럼 점프하여 움직입니다.
   - 이기면 앞으로 두 번 이동
   - 지면 뒤로 두 번 이동(출발선에 있으면 제자리)
   - 비기면 제자리
4. 가장 먼저 도착점에 도달하는 사람이 이깁니다.

1 다음 글을 읽고, 밑줄 친 한자어의 음(소리)을 쓰세요.

체력이란 몸을 움직이는 힘이나 질병을 이길 수 있는 능력을 말합니다. 체력이 좋으면 일상적인 (1) 活動을 하는 데 쉽게 지치지 않을 수 있고, 질병에 걸리더라도 빠르게 건강을 회복할 수 있습니다. 꾸준한 운동과 올바른 (2) 生活 습관을 실천하면 체력을 기를 수 있습니다.

답 (1) 활동 (2) 생활

2 다음 상황에서 여자 어린이가 도착할 칸으로 알맞은 한자에 ○표 하고, 해당 한자의 뜻과 음(소리)을 쓰세요.

답 움직일 동

3 두 어린이의 대화에서 밑줄 친 말에 해당하는 한자를 쓰세요.

개구리 가위바위보 놀이를 했더니 다리 근육의 (1) 힘이 더 세진 것 같아.
오랜만에 땀껏 뛰었더니 (2) 기운이 펄펄 나.

답 (1) 力 (2) 氣

7급 Ⅱ 급수 시험

176~177쪽

7급Ⅱ 급수 시험 맛보기 1회

◐ 정답 22쪽

[문제 1~5] 다음 밑줄 친 漢字語한자어의 音(음: 소리)을 쓰세요.

보기: 漢字 → 한자

1 아침 일찍 일어나 오늘도 하루를 活氣 차게 시작합니다. (활기)

2 연휴를 맞아 父母님과 함께 여행을 갔습니다. (부모)

3 그는 이번 시험 결과에 自足하였습니다. (자족)

4 우리들은 의좋은 兄弟입니다. (형제)

5 하늘 높이 女子아이들의 웃음소리가 퍼집니다. (여자)

[문제 6~9] 다음 漢字한자의 訓(훈: 뜻)과 音(음: 소리)을 쓰세요.

보기: 字 → 글자 자

6 家 (집 가)

7 男 (사내 남)

8 名 (이름 명)

9 力 (힘 력)

[문제 10~11] 다음 밑줄 친 漢字語한자어를 보기에서 골라 그 번호를 쓰세요.

보기: ①子女 ②兄弟 ③活動 ④活氣

10 우리는 매주 봉사 활동을 합니다. (③)

11 선생님의 자녀들도 봉사 활동에 참여하였습니다. (①)

[문제 12~14] 다음 訓(훈: 뜻)과 音(음: 소리)에 맞는 漢字한자를 보기에서 골라 그 번호를 쓰세요.

보기: ①手 ②孝 ③父 ④動

12 효도 효 (②)

13 손 수 (①)

14 움직일 동 (④)

[문제 15~16] 다음 漢字한자의 상대 또는 반대되는 漢字한자를 보기에서 골라 그 번호를 쓰세요.

보기: ①兄 ②名 ③母 ④男

15 (③) ↔ 父

16 (①) ↔ 弟

[문제 17~18] 다음 뜻에 맞는 漢字語한자어를 보기에서 찾아 그 번호를 쓰세요.

보기: ①弟子 ②孝女 ③生氣 ④姓名

17 성과 이름 (④)

18 싱싱하고 힘찬 기운 (③)

[문제 19~20] 다음 漢字한자의 진하게 표시된 획은 몇 번째 쓰는지 보기에서 찾아 그 번호를 쓰세요.

보기: ① 첫 번째 ② 세 번째 ③ 다섯 번째 ④ 일곱 번째

19 弟 (④)

20 工 (②)

176 • 똑똑한 하루 한자 | 2단계-B 급수 시험 맛보기 • 177

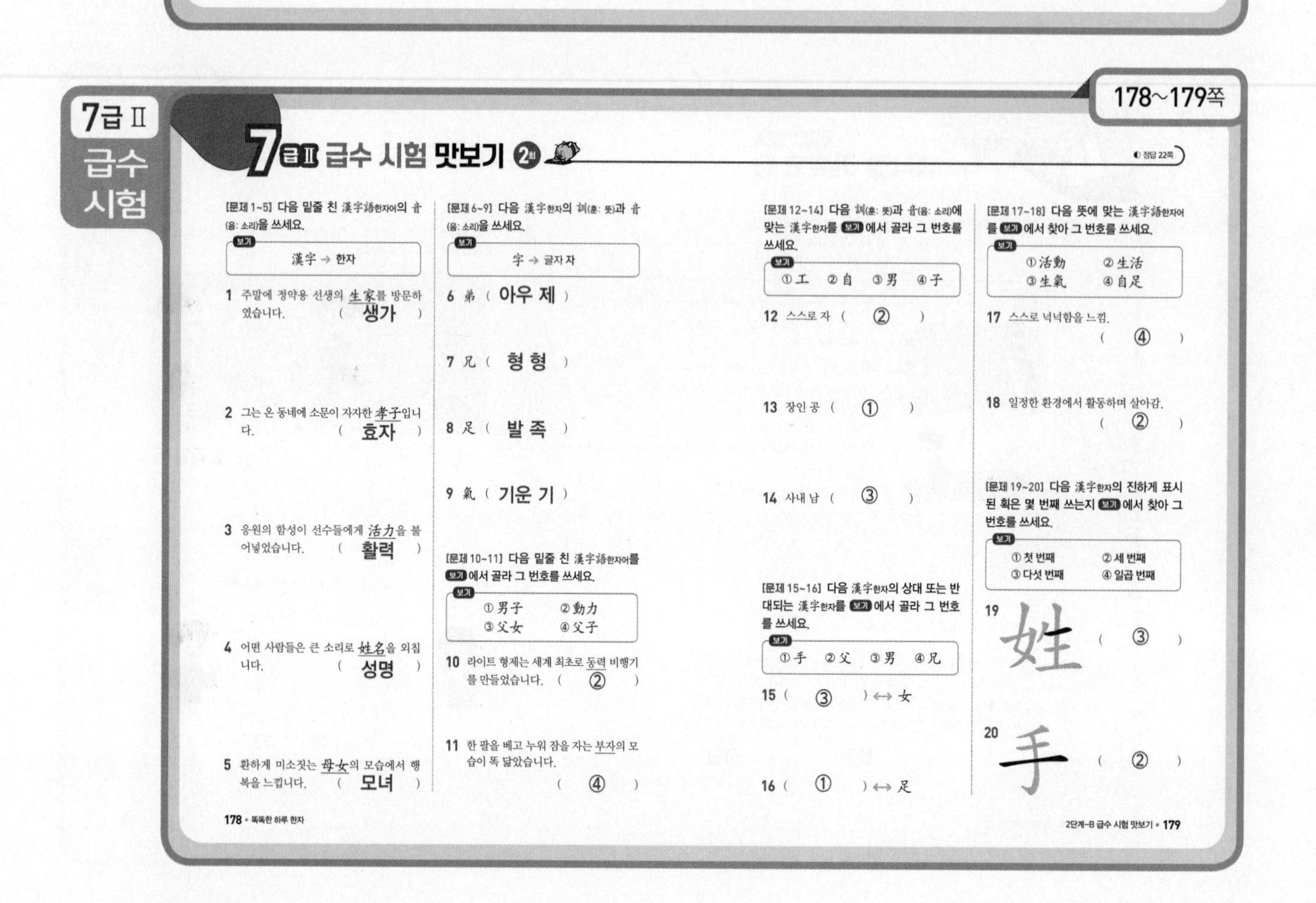

7급 Ⅱ 급수 시험

178~179쪽

7급Ⅱ 급수 시험 맛보기 2회

◐ 정답 22쪽

[문제 1~5] 다음 밑줄 친 漢字語한자어의 音(음: 소리)을 쓰세요.

보기: 漢字 → 한자

1 주말에 정약용 선생의 生家를 방문하였습니다. (생가)

2 그는 온 동네에 소문이 자자한 孝子입니다. (효자)

3 응원의 함성이 선수들에게 活力을 불어넣었습니다. (활력)

4 어떤 사람들은 큰 소리로 姓名을 외칩니다. (성명)

5 환하게 미소짓는 母女의 모습에서 행복을 느낍니다. (모녀)

[문제 6~9] 다음 漢字한자의 訓(훈: 뜻)과 音(음: 소리)을 쓰세요.

보기: 字 → 글자 자

6 弟 (아우 제)

7 兄 (형 형)

8 足 (발 족)

9 氣 (기운 기)

[문제 10~11] 다음 밑줄 친 漢字語한자어를 보기에서 골라 그 번호를 쓰세요.

보기: ①男子 ②動力 ③父女 ④父子

10 라이트 형제는 세계 최초로 동력 비행기를 만들었습니다. (②)

11 한 팔을 베고 누워 잠을 자는 부자의 모습이 똑 닮았습니다. (④)

[문제 12~14] 다음 訓(훈: 뜻)과 音(음: 소리)에 맞는 漢字한자를 보기에서 골라 그 번호를 쓰세요.

보기: ①工 ②自 ③男 ④子

12 스스로 자 (②)

13 장인 공 (①)

14 사내 남 (③)

[문제 15~16] 다음 漢字한자의 상대 또는 반대되는 漢字한자를 보기에서 골라 그 번호를 쓰세요.

보기: ①手 ②父 ③男 ④兄

15 (③) ↔ 女

16 (①) ↔ 足

[문제 17~18] 다음 뜻에 맞는 漢字語한자어를 보기에서 찾아 그 번호를 쓰세요.

보기: ①活動 ②生活 ③生氣 ④自足

17 스스로 넉넉함을 느낌. (④)

18 일정한 환경에서 활동하며 살아감. (②)

[문제 19~20] 다음 漢字한자의 진하게 표시된 획은 몇 번째 쓰는지 보기에서 찾아 그 번호를 쓰세요.

보기: ① 첫 번째 ② 세 번째 ③ 다섯 번째 ④ 일곱 번째

19 姓 (③)

20 手 (②)

178 • 똑똑한 하루 한자 | 2단계-B 급수 시험 맛보기 • 179

memo

memo

정답은
이안에
있어!

기초 학습능력 강화 프로그램

매일 조금씩 공부력 UP!

국어
예비초~초6

수학
예비초~초6

영어
예비초~초6

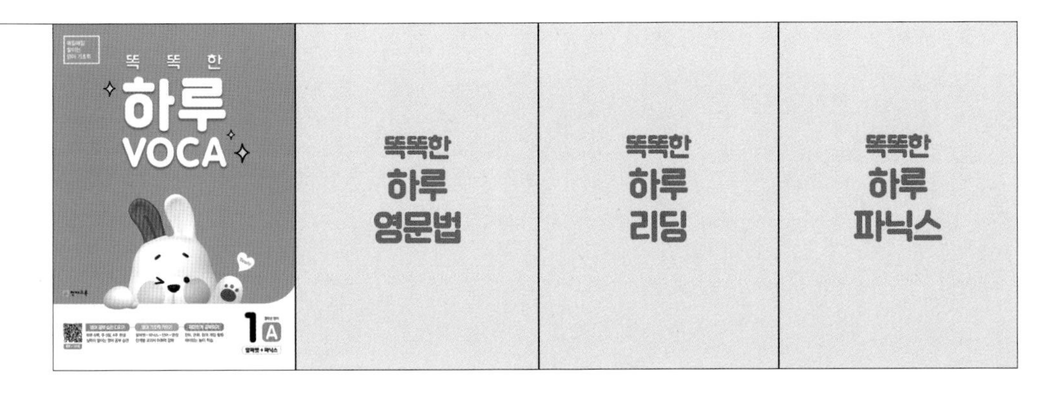

바·슬·즐
예비초~초2

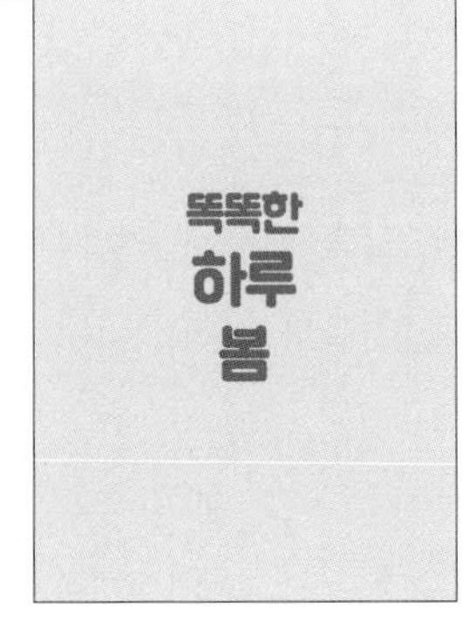

사회·과학
초3~초6

배움으로 행복한 내일을 꿈꾸는

천재교육 커뮤니티 안내

교재 안내부터 구매까지 한 번에!

천재교육 홈페이지

천재교육 홈페이지에서는 자사가 발행하는 참고서,
교과서에 대한 소개는 물론 도서 구매도 할 수 있습니다.
회원에게 지급되는 별을 모아 다양한 상품 응모에도
도전해 보세요.

구독, 좋아요는 필수! 핵유용 정보 가득한

천재교육 유튜브 <천재TV>

신간에 대한 자세한 정보가 궁금하세요?
참고서를 어떻게 활용해야 할지 고민인가요?
공부 외 다양한 고민을 해결해 줄 채널이 필요한가요?
학생들에게 꼭 필요한 콘텐츠로 가득한 천재TV로 놀러 오세요!

다양한 교육 꿀팁에 깜짝 이벤트는 덤!

천재교육 인스타그램

천재교육의 새롭고 중요한 소식을 가장 먼저 접하고 싶다면?
천재교육 인스타그램 팔로우가 필수!
누구보다 빠르고 재미있게 천재교육의 소식을 전달합니다.
깜짝 이벤트도 수시로 진행되니 놓치지 마세요!